U0110325

19 北宋
西元960～1126年

[注音本]

全新 吳姐姐講歷史故事

吳涵碧◎著

目錄

【第421篇】

道士林靈素。

有一回，宋徽宗外出，蔡攸隨侍左右。當御駕出了南薰門，宋徽宗忽然叫了起來：『你看，你看，玉津園東面，彷彿有重重複複的樓臺，那是什麼好地方？』

宋徽宗是否見到海市蜃樓，不得而知。蔡攸朝天一望，立刻回答：

『喔，那是天上的仙宮，殿閣樓臺也。』

『你看得見人嗎？』宋徽宗興趣大起。

蔡攸瞇著眼睛，端詳了好一會兒道：『有，有人，似乎是仙童，一個一個手持幡幢節蓋，相繼出現雲端。鼻子、眼睛、衣服，看得清清楚楚，大概是天神歡迎陛下。』

如此一派胡言，宋徽宗卻深信不疑。原來，道教在北宋前期，宋眞宗時代，已經開始進一步發展，宋徽宗更加相信。回來之後，就在『看到仙人』的原址，建立了一座道宮，名曰『迎眞』。並且親自撰寫『天眞降靈示現記』頒示天下。

宋徽宗下詔求道教仙經不久，宮中道士王老志更加走紅。王老志，本來是漕運小吏。據他自己說，他每天經過路旁，看到一位乞丐，十分可憐，每回都扔下幾個角子周濟。有一天，乞丐忽然對王老志說：『我本是仙人，

見你爲人善良，特賜丹藥。』說完，乞丐就不見了。

王老志服下丹藥以後，開始大發狂，遂離妻別子，一個人獨自居住在田間，自稱能預測未來之事。後來被請入宮來，宋徽宗賜王老志號洞微先生。

自從建立道宮以後，宋徽宗常做怪夢，夢到天上老君對他說：『你是天生該做皇帝的，當興吾教。』徽宗夢醒之後，大爲開心，津津樂道此夢。政和三年十一月冬祀，王老志也跟著去了。在太廟之中，王老志對徽宗說：『陛下以前的夢還記得嗎？當時，臣可站在帝之身旁也。』這眞是鬼扯，不過，有人證明徽宗所夢不虛，徽宗也很開心。

王老志死了以後，徽宗相信另一名叫林靈素的道士。林靈素字通叟，本名靈噩，溫州人氏。小的時候，到廟裏當小和尚。小和尚唸經唸得心煩，竟然去偷酒喝，結果被廟裏的住持拿著藤條，狠狠打了一頓，被趕了出來。一氣之下，決心棄佛求道，做道士去也。

林靈素的腦筋靈活，他爲了證明自己有無邊法術，在京師找來了幾十個無賴，有化裝爲彎著腰的駝背，有扶著拐杖的盲人，有不能講話的啞巴，有曳著一隻腳的跛子聚在一塊兒。

然後，林靈素對著傴、盲、瘖、跛的人喃喃有詞念一段咒語，叫他們吞一些符水。一刹那之間，盲人丟掉了拐杖，啞巴開始大聲説話，跛腳快步疾走。大夥跪在地上，流著眼淚向林靈素道謝。

每一個『傷殘』者都有一段傷心史，大半都是得疾二十年、三十年之久，求遍大夫，久醫無效，現遇到林靈素活神仙，眞是恩同再造。

在一片歡聲雷動之中，林靈素的『活見證』傳遍天下，也在政和六年拜見徽宗，徽宗一見林靈素便歪著頭說：『我們好像以前見過。』

『臣往年上朝玉皇大帝，曾經見過駕。』

『對對對，朕記得，卿當時騎著青牛，青牛現在在那裏？』

『哦！青牛寄放在外國，不久會來中國。』林靈素順口胡扯。

到了政和七年，剛好有一位高麗青年，送來一頭青牛。徽宗大爲訝異，馬上賜給林靈素，也對他更加相信不疑。

林靈素很會拍馬屁，他大言道：『陛下是天上長生大帝君，下降人間。蔡京是左元仙伯，王黼是文華吏，蔡攸爲園苑寶華吏下凡。』眞是皆大歡喜。至於當時宋徽宗最寵愛的劉貴妃，林靈素一口咬定她是九華玉眞妃轉世，也是個仙人。徽宗聽了，笑得合不攏嘴。

於是，徽宗對林靈素言聽計從，設立道學，編輯道史一書。並且在政和七年春正月甲子日，在上清寶籙宮舉行盛會，集合道士三千餘人，由林靈素據高座，主講道經。宋徽宗親臨設幄座側聽講，眞是轟動一時。

林靈素本來是一個混混，那有什麼學問，開講道經，並無宏辭高論。他就信口開河，講一些詼諧猥褻的笑話，引起哄堂大笑，上下毫無君臣之禮。

爲了宣揚道教，宋徽宗詔令天下洞天福地，普遍設立道觀，塑造聖像。每一個道觀，賜田不下數頃，道士都享有俸禄，與官吏一般。林靈素的兩萬徒衆，更由朝廷供他們白吃白住。

林靈素本人是被廟裏的和尚毒打趕出來的，心裏恨透佛教。爲了報復，請求徽宗盡廢佛教，以道教爲正宗。改佛號爲大覺金仙，和尚改稱爲德士，尼姑改稱爲女德。德士、女德都強迫入道學，學習道士之法。

佛教被廢之後，林靈素更加張狂，連皇太子也屢遭他的白眼。他又弄權舞弊，最後，連徽宗也厭煩了。在宣和元年放他回溫州，他因爲壞事做太多，走在路上都有役夫要拿著木棍去揍他。林靈素雖然被排斥，宋徽宗迷信道術風氣未減。我們後人看宋徽宗的迷信，頗覺得荒誕無知，其實有些現代人種種可笑的迷信，並不亞於古人。

閱讀心得

【第422篇】王黼家中的白米。

在宋徽宗身旁最得寵的臣子，除了蔡京父子之外，應該算是王黼了。

王黼字將明，開封府中人。他原本名叫王甫，因爲東漢有個宦官也叫王甫，因而改名爲黼。

王黼長得非常漂亮，是個標準的美男子。風度翩翩，脣紅齒白，而且皮膚細膩，好像搽了粉一般，尤其是那一雙眼睛，炯炯有神。如此一個英俊小生的模樣，再加上能言善道，使他在人際關係上面，先天上佔了不少便宜。

他的學問有限，才華疏淺，卻足智多謀，善於察言觀色。崇寧年間中進士，深得何執中賞識，大力提拔，升到了校書郎、左司諫的官位。當時，蔡京被貶到杭州，張商英任相職，怎麼樣也難討宋徽宗的歡喜。徽宗曾暗派宦官送給蔡京一個玉環，王黼發現這件事，知道徽宗仍然想念蔡京，於是乘機抨擊張商英施政錯失，並且誇獎蔡京當年政績如何如何好。後來，蔡京又重新當上了宰相，對王黼在徽宗身旁敲邊鼓十分感激，所以王黼又再次高升爲給事中、御史中丞，官運更爲亨通。

王黼是因何執中提攜而發跡的，如今他走紅了，反而恩將仇報排擠何執中。他一共寫了整整二十條何執中的罪狀，悄悄交給蔡京，蔡京沒有搭

理。

何執中還蒙在鼓裏，到處宣傳王黼是個了不起的人才。有一天，何執中遇見蔡京，照例又把王黼搬出來猛誇一番。蔡京悶聲不響，悄悄自袖中掏出一卷書信，對何執中說：『你看看再說。』

原來這就是王黼檢舉何執中的親筆函，洋洋大觀共有二十條之多。何執中看著、看著，臉都綠了，兩排牙齒氣得發抖，不斷喃喃自語：『畜生，畜生！』

在前面，〈蔡京翻修延福宮〉篇中，我們說過，宋徽宗風流成性，常常不避帝王之尊，輕車小輦的到蔡京家。座上除了蔡攸最會耍寶之外，王黼更是一把高手。他也穿著短衫窄褲，塗青抹紅，混雜在倡優侏儒之中。由於他是一個小白臉，扮起女生特別出色，宋徽宗非常喜歡他，彼此打打鬧鬧，沒有一點兒君臣上下之禮。

有一回，王黼領著宋徽宗偷偷跑出去玩兒，中間經過一道牆，徽宗過不去。王黼就先跳過牆，然後只聽得宋徽宗說：『肩膀再聳上來一些。』王黼應聲道：『可以了，腳可以伸下來了。』王黼遂以肩承徽宗腳趾安全過牆，由此可見兩人親密之程度。後來，王黼與蔡京之間有了利害衝突，漸漸不合，蔡京一氣之下，把王黼降爲戶部尚書。沒有多久，王黼父喪，丁憂在家五個月。起復以後，他轉而向宦官梁師成靠攏。

這梁師成也是一個值得介紹的人物，他懂一點兒文字，善於逢迎，於是成了徽宗身邊得寵的大宦官。

由於宋徽宗是個藝術家氣質濃厚的皇帝，梁師成就對外揚言，說自己是蘇東坡的兒子，希望藉蘇東坡的威名，爲自己的身世添一些光彩。當時，天下禁誦蘇東坡的文章，梁師成故意當作自個兒孝順，向徽宗哭訴：『先臣何罪？』徽宗本是愛才之人，遂允了梁師成的要求。梁師成揀了這個題目大作文章，邀集天下名士參與盛會。久而久之，梁師成成爲文人墨客的領袖。再加上他是皇帝身旁最親信的太監，即使有人看他不起，卻也不敢得罪。

王黼看準梁師成有辦法，竟然把他當父親一般侍奉，人前人後尊之爲恩府先生。兩人狼狽爲奸，聲勢不亞於蔡京父子，人們稱梁師成爲『隱相』。

王黼家住昭德坊，隔壁有個許家住在左邊，王黼便硬逼許宅把房子讓出來，好把自家再擴張一倍。許家運氣不佳，家有惡鄰，既然知道王黼有個『好父親』，倒也不敢不從。大白天的，收拾少許衣物，哭哭啼啼搬了出去。街坊鄰居卻不以爲然，憤憤不平。

在宣和元年，王黼拜特進、少宰，由通議大夫一下子超升八個官階。在宋朝，還沒有人爬得如此快速的。

由於王黼寵傾一時，家用非常浪費。別的不說，單單洗米就洗得非常馬虎；反正錢多用不完，任他晶瑩白亮的米順著大水沖向溝渠。

在王黼家附近有一座廟，廟裏住了一位老和尚。有一天，他在溝內，忽然發現源源流下的白米，好不驚訝。老和尚趕緊搬來一個木桶，把米撈起來，放入桶內，然後洗淨曬乾。

從此以後，老和尚每天按時守候著大水沖下的白米，口中唸著：『如此浪費，罪過、罪過。』存了一桶又一桶的白米。

好多年以後，靖康之難帶來一片蕭條，王黼被仇人所殺。王宅之中已經斷了好幾天糧，他們本是富貴人家，從來沒有吃過苦，個個餓得嚶嚶哭泣。

這時候，老和尚來了，帶來一大桶蒸熟的香噴噴亮晶晶白米飯。男女老幼喜出望外，吃得滿臉都是飯粒，而且讚道：『從來沒有吃過這麼香的飯，請問老和尚，你那兒來這許多米？』

『這個嗎，這都是貴府丟棄不要的米啊！』說明原委後，王宅的人都慚愧的低下頭來。這個故事是歷史上有名的小故事，常常被用來教訓人們要『一粥一飯，當思來處不易。』養成節儉的好習慣。

閱讀心得

【第423篇】

蔡襄修建洛陽橋。

宋徽宗信任蔡京，使得國事大壞，引起朝野一致的不滿。宋代的知識份子具有強烈的歷史責任感，雖然明明知道忠言逆耳，宋徽宗根本聽不進去，也明白蔡京正在走紅，得罪蔡京，等於惹禍上身，仍然不斷地猛轟蔡京。

宣和元年，蔡京生了一場重病，消息傳出，個個聽了都眉開眼笑，希望他早日歸天。只有晁冲之不以爲然，他悄悄地對好朋友陸宰說：『他不會死的，這個人把國家壞到如此田地，假如現在死掉，少不得葬禮備極哀榮，還算什麼天道？』

後來，果然，蔡京又轉危爲安。從晁冲之的這段話，可以想見大家對蔡京的恨之入骨。

總計蔡京在宋徽宗一朝三退四進，前後執政二十年之久，幾乎與徽宗相終始。宋徽宗不是不了解蔡京爲大奸大惡，但是，蔡京能夠了解徽宗心理，滿足他的慾望，抓住他的弱點。而且，蔡京也有相當的藝術品味。

在前面我們曾經說過，徽宗即位不久，蔡京被御史參了一本，削職杭州。後來因爲不斷地孝敬徽宗骨董字畫，徽宗愈看愈樂，蔡京才被任命爲宰相。

骨董字畫極易作假，如果蔡京獻上的是一張僞畫，被有鑑賞力的徽宗一眼識破，豈非馬屁拍到馬脚上去了？另外，宋徽宗的瘦金體書法自成一格，頗引以自豪，蔡京的字也相當不錯，兩人惺惺相惜，才會愈看愈順眼。

甚至有人說，宋朝的四大書法家，蘇東坡、黃庭堅、米芾、蔡襄。其實，最後一個蔡襄，原本是蔡京，因爲蔡京人品卑劣，爲人不齒，才換一個蔡襄。這個說法，也有相當的道理。按蘇東坡、黃庭堅、米芾都是差不多與蔡京相同的時代，怎麼最後會換上宋仁宗朝的蔡襄。倘若是蔡襄，似乎不宜列爲四人之最後啊。

無論如何，蔡襄倒也是值得介紹的人物。蔡襄字君謨，興化仙遊人，巧的是蔡京正是興化仙遊人氏。

蔡襄考中進士不久，擔任西京留守推官，這時，范仲淹由於言論之事，惹惱了宰相呂夷簡，被貶饒州。余靖寫文章，爲范仲淹辯駁，尹洙請求自己與范仲淹同樣被貶，歐陽修則因爲諫官高若訥，不聲不響，呆若木雞，責備他是『不知人間有羞恥事』。結果余、尹、歐陽都因此被貶。

蔡襄看不過去，寫了一首『四賢一不肖』詩，諷刺這件事，人人都爭著傳來傳去抄寫，甚至花錢購買。契丹的使者剛好到京城來，聽說這件熱門新聞，也買了一份，回去張貼在幽州館。

慶曆三年，宋仁宗用蔡襄擔任諫官，蔡襄立刻上疏，請求廣開言路。呂夷簡擔任宰相時，趙元昊對宋朝納款。開始之時，自稱爲『兀卒』，後來，又翻譯爲『吾祖』。

蔡襄馬上提出反對，他神情凜然道：『「吾祖」兩個字相當於「我翁」，這是何等輕蔑侮辱人的語氣啊!!』爲了爭取國格，蔡襄講話一向大聲，不畏權勢。

不過，蔡襄最爲人熟知的故事，應該算是修建洛陽橋。這座洛陽橋，不在洛陽，而在福建省晉江縣，當時屬於泉州轄區。據說是唐宣宗赴閩中遊玩，看到介於晉江、惠安兩縣的這條江，羣山圍繞，風景秀美，脫口而出『這很像我的家鄉』，於是，人們稱之爲洛陽江。

根據民間傳說，宋眞宗大中年間，有一天，渡船中裝滿了人，船隻開到洛陽江中流，忽然狂風大作，海濤怒吼，眼看著馬上要翻船了。忽然，天上傳來轟隆轟隆的聲音，好像有個巨人在說：『快救，快救，有蔡學士在船中呢。』

說也奇怪，一會兒，風平浪靜，船客都在低呼：『阿彌陀佛，老天保佑。』然後，互相探問『誰是蔡學士？』找來找去，找不到一個姓蔡的。船上只有一位回娘家探親的蔡太太，她此刻正是大腹便便，人們的眼光都落在她的大肚子上，狐疑地問：『莫非蔡學士在這兒？』

蔡太太自個兒也覺得奇怪，於是當場對天許願：『我要是生一個麟兒，日後高中學士，我一定要在洛陽江上修一條橋。』

後來，蔡太太生了一個小男孩就是蔡襄。由於蔡太夫人日夜想著還願的事，事母至孝的蔡襄即以母老爲由，請求調往當時被認爲偏僻之地的泉州。

蔡襄到了泉州，立刻動手興建洛陽橋。根據他自己手寫的『萬安橋記』記載，這座大橋自皇祐五年開工，到嘉祐四年完成，費了六年八個月。共有四十八個橋墩，每一個橋孔平均長度爲七十六尺半，即以現代標準而言，也是艱鉅的大工程。

蔡襄雖然把橋名取爲萬安，百姓卻稱之爲洛陽橋。當地百姓爲懷念蔡太守，每到中秋節前後，總要演出洛陽橋這齣戲應景。蔡京頗以有蔡襄這位同郡自豪，自稱爲族弟，甚且蔡襄的孫子蔡佃考上了狀元，蔡京說：『這是族孫，不好意思。』硬把蔡佃降爲第二，蔡佃氣得說不出話。

究竟宋朝四大書法家之一是蔡京？是蔡襄？今天已不可考。事實上，現在也沒多少人知道蔡京是書法名家，只知此人是水滸傳中要取生辰綱的蔡太師。因爲在忠奸分明的中國人心目之中，一個人沒品沒德，不能列入書法家。

閱讀心得

【第424篇】

宣和畫院。

宋朝重文輕武，積弱不振，腐朽墮落，到了宋徽宗時更為顯著。他在政治上昏庸無能，任用蔡京、童貫等大肆搜括，使全國百姓痛苦萬分。另外一方面，宋朝在藝術方面特別發達，可以稱之為中國美術史上最為光輝的黃金時代。到了宋徽宗一朝，更是爬上了顛峯狀態。

在宋代初年，由於君主的愛好、提倡，就設置有翰林圖書院，羅致天下畫家。並且分別賜以待詔、祗侯、藝學、畫學正等官職，待遇相當優厚。

皇帝還時常命畫家們畫扇子，他看看誰畫得最爲出色，即任命他去畫宮殿，或者道觀裏的壁畫。這在當時，被視之爲極大的榮耀。

不過，在徽宗以前規定，凡是由於有特殊技藝服務朝廷者，雖然可以穿紫色官服，卻不准配魚袋。

在中國古代，衣服的顏色是有規定的，只有最高品級的官員，才能穿紫色的官服。

至於說，什麼叫配魚袋呢？魚袋是唐朝五品以上官員，用來盛放隨身魚符的袋子。魚符是用木料或者金屬雕爲魚的形狀，在上面寫字，然後剖爲兩半，雙方各拿一半。除用做兵符外，尚有隨身佩戴的身符，通過宮門、城門用的通行符。

到了宋朝，雖然沒有再用魚符，但是用金銀飾爲魚形，長長的繫在官服後面，以明貴賤。宋徽宗准許畫家們佩魚，可以表示他對畫家的尊重。

在前面我們說過，有一次，宋徽宗與蔡京討論書法，命米芾在御屏上寫字，寫完之後，他自誇乃『照耀皇宋萬古』，又央求徽宗把硯台賜給他。

徽宗含笑答應以後，米芾拿起硯台往袖中一揣，弄得墨汁淋漓，一塌糊塗。宋徽宗一點兒也不以爲忤，可見他有一份特殊的愛才之心。

由於宋徽宗自己也能寫能畫，他對畫家的要求也頗爲嚴格。

當寶籙宮修建完工之後，徽宗便命畫家們動手畫壁畫，畫得稍稍不理想，立刻塗上厚厚的白土，重新來過。

有一回，徽宗信步走到宣和殿前，只見荔枝纍纍，鮮豔誘人。荔枝樹下幾隻孔雀昂首闊步，張開了光燦的羽毛，彷彿有意與荔枝爭妍。

徽宗大樂，立刻召集畫家們舉行寫生比賽。這一個個高手無不拿出看家本領，希望能博皇上一聲讚美，每一幅畫都生動活潑，栩栩如生。但是，叫人納悶的是，徽宗不斷地搖頭，沒一幅畫滿意，畫家們都面面相覷，不曉得那裏不合皇上的意。

最後，宋徽宗開口了：『孔雀升高，必先擡左腳，怎麼你們畫出來的，全部都是先舉右腳，實在是觀察不夠敏銳。』

畫家們聽了，趕快仔細再看一眼孔雀，果然是如此，不禁深深佩服徽宗的觀察力，而『孔雀升高必先舉左』也成爲中國繪畫史上一段有名的典故。

在宋徽宗宣和年間成立的宣和畫院，可以說是中國畫史上組織最爲完善的藝術學院。宣和畫院考選畫家，多半用一句古詩爲題，公告天下，讓有興趣畫畫的，到京裏參加應試。

譬如有一道考題是『野水無人渡，孤舟盡自橫』，大部份的考生都畫一條空船，孤零零繫在岸上，船篷上面，再畫一兩隻烏雀，表示舟中無人。考中第一名的，卻畫了一個船夫，斜斜地躺在船尾，手中把玩一支笛子，看來頗爲愜意。主考官認爲他畫得最合題意，因爲無人要渡船，船夫才悠悠閒閒的吹笛子。

再有一道題是『亂山藏古寺』，多半的人都先畫許許多多山，再畫一個小小的寺廟。

中選的那位根本不畫佛寺佛塔，只見滿紙亂山，讓人有『只在此山中，雲深不知處』的美感。眞正做到了畫中有詩、詩中有畫的境界。

宋徽宗不但考人家，自己也會畫，而且練習得極爲認眞。他曾經親自臨摹古畫，把自漢朝毛延壽（就是把王昭君畫醜的那位畫家）以後十七位大畫家的古畫，一一加以研究、模仿。足足花了三年時間，才完成這一樣功課。

除了臨摹，宋徽宗也寫生，艮嶽中的奇花異草、珍禽異獸，都是他細心描繪的素材。類似這樣的作品，共有千冊之多，由此可見徽宗用功之勤了。

宋徽宗所畫的鳥，多半用生漆來點眼睛，大收畫龍點睛之效。後代許多畫家想要模仿，卻沒有他畫得鮮活。他還喜歡畫一些絹製的小扇題幾個字，分賜給宗族或大臣。每次徽宗新畫出的一個扇面，立刻有人跟著學樣。宋徽宗對自己能夠帶動流行，十分自得。

當然，最後不能不提他的瘦金體書法。他的筆勢勁逸，很有精神，初學薛稷，以後自成一格，取名爲瘦金體。一直到現代，我們仍然可以買到瘦金體的字帖。

總而言之，宋徽宗是一個天才橫溢的藝術家，隨心所欲，浪漫不羈。他統治著一個如詩如畫的藝術王國，卻敗壞了國家的命脈，不但害得百姓流離失所，他本人更是晚景悽涼。

閱讀心得

【第425篇】

媼相童貫。

在宋徽宗一朝，除了蔡京是最走紅之外，童貫也是徽宗最親信的人物。當時的人稱蔡京爲公相，童貫是宦官，就被稱爲媼相。媼，乃婦人的通稱，意思是指童貫爲母相。

童貫這個人性情巧媚，擅長於揣摩皇上的心理。宋徽宗即位之初，在蘇州、杭州設置『造作局』，專門採辦與製造宮廷御用器皿，徽宗特派童貫主持此事。

童貫深深了解，此乃巴結皇上最好的機會。這趟差事辦妥當了，日後有得不完的好處，因此他格外賣力地表現。

凡是童貫監製做出來的器具，不論是牙角、犀玉、金銀、竹籐、糊裱、雕刻、織繡，每一樣都是精緻非凡。我們今天看故宮博物院中展覽的古物，常常會慨嘆這是現代人做不出來的。這一方面可以表示中國古人的藝術才能；另一方面，當然也只有在帝王時代，才能耗費數千的工役，不做旁事，每天只是在爲御用器皿而忙碌。

恰好這時蔡京被貶在杭州，兩人狼狽爲奸。除了大量製造御用品外，更多方搜括民間奇木異石博取宋徽宗的喜好。結果，徽宗果然龍顏大悅，蔡京與童貫兩人互相標榜，彼此吹捧。童

貫在徽宗面前極力稱讚蔡京的賢能，蔡京也不忘誇讚童貫有本事。後來蔡京為相，童貫也因功做到司空太尉，統兵出征。

通常宦官鞠躬哈腰慣了，多半是弓著背，猥猥瑣瑣，一臉奴才相。童貫倒是生得彪形大漢模樣，目光炯炯有神，尤其是頸子後面，一片皮骨如鐵，似乎是練過武功的。

由於公相媼相權傾一時，京師中流行一首歌謠：『打破鐘（童），潑了菜（蔡），便是人間好世界。』還有一首是『殺了茼（童）蒿割了菜（蔡）』。可見一般人民恨不得剝了他們的皮，吃掉他們的肉。

徽宗崇寧初年，蔡京當國，主張恢復被外族佔領的青唐（今青海西寧），遂以童貫為監軍。雖然收復了河湟一帶，卻開了西北戰端。

政和五年，童貫領六路邊軍攻西夏，吃了敗仗，童貫故意不報到京裏。政和六年，童貫派劉法再攻西夏小勝。宣和元年，童貫再派劉法進取西夏的朔方。

劉法知道這是一場沒有把握的戰爭，不願前往，童貫硬要逼他去，並且對他說：『你以前在京師，自言必成功，如今又怕困難了？』

劉法逼不得已，只好勉強出兵。果然不出劉法所料，一場大戰之後，劉法被西夏人所殺，西夏乘勝追擊到震武城下。由於劉法原是邊區名將，一旦戰死，軍隊人心惶惶，而且十分憤怒，都說這是童貫害死了劉法。

而且讓兵士們氣憤的是，劉法雖然敗死，童貫竟然仍向朝廷奏捷請賞。而宋徽宗還眞以爲童貫建立武功，宣揚國威，還在大開慶功宴呢。

由於此時童貫太過張狂，朝廷裏百官側目，人人不滿。右正言陳禾實在看不下去了，他對朋友說：『此國家安危之本，我擔任言官，豈可不言？』陳禾於是便面奏徽宗，參了童貫一本，舉了他許許多多恃寵弄權之罪，最後的結論是：『應該將童貫流放到遠方去。』

陳禾說到這裡，徽宗聽不下去，拂衣而起。陳禾急了，上前去拉徽宗的衣服，這一拉一扯之間，把衣服弄破了。

宋徽宗更加怒不可遏道：『陳正言碎朕衣也。』

陳禾倒也豁開了，朗聲回答道：『陛下不惜碎衣，臣豈惜這顆腦袋以報答陛下。童貫這批人今日受富貴之利，陛下他日將受危亡之禍。』

徽宗冷笑譏諷陳禾：『卿能如此忠心，朕還有什麼好憂慮的？』

這時，內侍在旁請求徽宗更換衣服，徽宗借題發揮道：『不必，剛好可以用這件破衣來表揚正直大臣。』

由此可見，徽宗也曉得陳禾是忠直大臣，奈何忠言逆耳，聽著不舒服，叫人惱怒。

第二天，童貫聽說此事，趕緊前來哭訴，說：『國家現在極爲太平，安得有此不祥語。』

同時，會拍馬屁的中丞盧航立刻上奏，責備陳禾狂妄，徽宗下詔貶陳禾：『謫去信州做小官。』

童貫受到徽宗的誇讚，趾高氣昂，遂向宋徽宗建議，認爲遼國可圖。

於是，徽宗派遣端明殿大學士鄭允中充當『賀生辰使』，而以童貫爲副使，帶了許多珍寶禮物，出使遼國。有人批評：『以宦官爲上介，人家會說宋朝是不是沒有人了？』

宋徽宗的說法是：『遼人聽說童貫破羌，想看看這位英雄。』

童貫到了遼，遼國君主指著他偷偷對左右道：『南朝人才如此。』可是遼君天祚帝看到童貫帶來的兩浙黑漆家具，又不免眉開眼笑了。童貫此去遼，醞釀了宋朝聯金攻遼的計畫。

閱讀心得

【第426篇】

劉仁恭的燒草政策。

關於遼朝的歷史，在前面已經陸陸續續講了不少，其中還包括歷史上著名的楊家將與遼的戰爭。

但是，由於遼朝的疆域遠達蒙古，聲威超過北宋。『契丹』這個名稱，曾經代表中國，成爲國際間的稱謂。而一般人對外族的歷史比較隔閡，因此自本篇起，準備講一系列遼朝的故事。

『契丹』這個名稱，最早出現於南北朝元魏時代。契丹的意義有人說是生鐵，也有人說是刀劍，或者是切斷的意思。

契丹人自己認爲是東胡鮮卑宇文氏的後裔，還有一段『灰牛白馬』的傳說。據說是有一男子乘白馬，一女駕灰牛，兩人相遇在遼水上，遂結爲夫婦，一共生了八個兒子。由於白馬王子在遼水遇到佳人，遼朝因而得名。

在唐朝時代，契丹開始擴張勢力，還有酋長自稱爲可汗，構成唐朝在東北的邊患。當時，唐朝末年鎮撫北邊的盧龍節度使是劉仁恭。劉仁恭這個人很聰明，對契丹的一切瞭若指掌。他經常選將練兵，乘著秋高氣爽突擊契丹，打了就跑，契丹非常畏懼。

劉仁恭還有更狠的一招，由於長城以南，多雨多暑，漢人多半耕稼以食。大漠之間，多寒多風，以畜牧爲主。因此，每年霜降之時，劉仁恭派

出大批人馬，大規模地焚燒長城外塞下野草。契丹馬多，沒有草可食用，便活活餓死。

燒草政策使契丹大傷腦筋，當時契丹八大部中的總可汗——欽德可汗迫不得已，只好常用良馬賄賂劉仁恭，或者高價收買牧地。

契丹受不了長期被剝削，久而久之，政治衰弱。欽德可汗的能力受到考驗，給予耶律阿保機崛起的機會。

耶律阿保機就是歷史上赫赫有名的遼太祖，他和許多創業帝王一般，在遼史上流傳著一段出生時的神話：

據說，耶律阿保機的母親有一天做夢，夢到太陽忽然墜落下來，掉入她懷中，不久便懷孕了。當他在唐朝咸通十三年，生下來的那一天，室內彷彿有神光，而且彌漫著一股異香，又長得特別胖特別壯。更怪異的是這個看起來像三歲的胖小子，呱呱墜地之後，立刻滿地亂爬學走路。

耶律阿保機的祖母看見如此神奇的乖孫，開心極了，把他從媳婦手中搶了過來，當作自己的兒子撫養。祖母爲了怕其他人搶走寶貝孫兒，常常將耶律阿保機更換帳篷，同時把他的小臉塗黑，免得讓人認出。

當耶律阿保機三個月大，他竟然開口說話，講得頭頭是道，也沒人教過；更能直立行走，像個大娃娃了。長大以後，這個生下來就是超級嬰兒的阿保機，身高九尺，能挽三百斤重的硬弓。由於阿保機歷代的祖先都是契丹的輔佐官，阿保機在少年時代，已經做了契丹的扈從官，逐漸露其頭角。

契丹的古八部，相傳就是灰牛白馬生下八個兒子的後裔，名稱爲大人。根據契丹習慣，從八部大人中共推一個大人，建立旗鼓以總率八部，每三年改選一次。八部既有選舉權，也有罷免權。

由於欽德可汗對付不了劉仁恭，各部於三年一會，改推阿保機爲八部大人。

耶律阿保機遂大展鴻圖，他進入中國邊塞，攻破許多城邑。這時，劉仁恭已去世，他的兒子劉守光繼據幽州，稱燕王，暴虐無道。許多漢人受不了劉守光的壓迫，紛紛投附契丹。

契丹一天比一天強大，耶律阿保機有一回聽人說，在中國，國君都是世襲制度。父親死了，傳給兒子，兒子死了，再傳給孫子，完全是家天下。

阿保機一聽，極爲羨慕，這個辦法敢情好，還是漢人智慧高。尤其，八部大酋長三年選一次，他已做了三個三年，也不知下回是否選得上。於是，阿保機回去與他那聰明的太太述律后商量。述律后靈機一動，想出一計：

他派人去通知諸部大人說：我有鹽池，你們都是靠我這個鹽池的鹽爲生。你們只曉得鹽的利益，怎麼從來沒想過這鹽池也有主人的啊，應該早日來犒勞我才是。

諸部大人也以爲然，約定一個時間，共同在鹽池舉行盛大宴會。

阿保機爲表示大酋長的風範，準備大量的酒菜，要求諸部大人不醉不歸。等到諸部大人喝得東倒西歪，阿保機事先埋伏的士兵一擁而上，一一結束了他們的性命。

從此，八部併爲一統，不再有部落分立的現象。酋長僅是屬官，他是大契丹王，進一步尊爲契丹皇帝，成爲遼太祖。

遼太祖利用五代紛亂，遠交近攻，縱橫捭闔。時而聯合李克用夾攻劉守光，時而又聯合朱全忠打擊李克用，逐漸強大。

閱讀心得

【第427篇】韓延徽探母。

一看到這篇故事的題目——韓延徽探母，也許立刻有許多讀者會反應，寫錯了吧，應該是楊延輝四郎探母。

其實不然，楊家將雖然爲宋朝的一門忠烈，卻沒有楊延輝這個人。據遼金元史權威——已故的姚從吾先生考證，四郎探母這段故事，完全脫胎於韓延徽的生平。

韓延徽字號明，幽州安次人氏。他的父親韓夢殷，曾經擔任過薊、儒、順三州刺史。

韓延徽少年英勇，在上篇提到的劉仁恭十分賞識他，授爲幽州觀察度支使。後來，劉仁恭去世了，他的兒子劉守光派韓延徽出使契丹。遼太祖耶律阿保機提出的條件相當苛刻，韓延徽不肯接受，雙方起了言語上的衝突。惹得耶律阿保機大爲震怒，把韓延徽給扣留下來，派他到冷落的草原牧馬。

耶律阿保機有一位賢明的妻子——述律后，羣臣稱之爲地皇后（阿保機乃天皇帝），見韓延徽爲人沉著老練，有辯才，有骨氣，於是對遼太祖說：『此人秉持節操，不屈不撓，是不可多得的賢才，你爲何要困辱他？』遼太祖認爲述律后的話頗有見地，立刻任命他爲契丹的參軍事，開始

用上賓之禮對待他。久而久之，韓延徽對遼太祖，也有感恩圖報之意，提供了許多建設國家的計畫：建築城郭、設立市場、種植禾稼、開闢園藝、興手工業、訂婚姻法、教授漢文字等等，使契丹逐漸建立規模。

此外，遼太祖在對抗黨項、室韋的戰爭中，韓延徽更是一流的軍師。接著，韓延徽又建孔子廟、製文字、定百官，一切規模模仿中國。

雖然在契丹，備受禮遇，久而久之，這位契丹宰相不免思鄉，尤其想念家中老母。有一天，韓延徽留下一首詩，敘述心中感慨之後，不告而別。遼太祖發現之後，眞是有說不出的難過。

離開契丹之後，韓延徽投効到晉王李存勗（李克用的兒子）帳下。由於韓延徽頗有一套，引起幕府之中掌書記王緘的不滿，加以排擠，韓延徽有志難伸。思前想後，還是遼太祖知人善任，又悄悄回到幽州，藏在故人王德明家裏。

王德明問他：『你既不能容於晉王左右，今後該怎麼辦呢？』

『我還是回到契丹主那兒。』

『這怎麼可以？』王德明訝異地望著韓延徽。『你不要忘記，你是從契丹逃跑出來的，如果回去，豈不是要受到嚴厲的責罰？』

韓延徽淡淡一笑：『不會的，你放心。阿保機失去了我，有如失去左右手，他看見我回去，高興還來不及！』

王德明不明白韓延徽那兒來的信心，眼看韓延徽走遠了，仍然爲他揑一把汗。

沒有想到，韓延徽果然把遼太祖摸透了。遼太祖一見到韓延徽，喜出望外，卻也忍不住埋怨：『朕待你不薄啊，你爲什麼要背棄我逃走？既然走了，又爲何去而復來？』

韓延徽不疾不徐的解釋：『忘親非孝，忘君非忠。臣雖挺身逃，臣心在陛下。』

好一個『心在陛下』，遼太祖大爲高興，賜名爲『匣列』（契丹語，去而復來之意）。任命他爲崇文館大學士，中外大事都請他參決。

這麼一段曲折離奇的過程，就成爲小說戲劇之中四郎探母的藍本。話說四郎楊延輝有一次與遼作戰，兵敗被俘。蕭太后見他一表人才，眉清目秀，頗有大丈夫氣概，愈看愈喜歡，殺了他，有些捨不得，遂把鐵鏡公主嫁他。

楊四郎爲保全名節，楊家將是遼人最爲痛恨的，靈機一動，把楊字拆爲木易二字，謊稱爲代州團練使，與鐵鏡公主拜過天地，成爲遼朝的駙馬，一晃過了十五年。

後來，有一天，楊四郎聽説母親大人佘太君領著楊家大軍，來到了飛虎谷。思親心切，一個人坐在那兒默默地流眼淚，長吁短嘆。

鐵鏡公主看了大爲吃驚，不知道駙馬爺爲何如此哀傷。四郎悶著頭不吭聲，只是説：『我的心事，你是猜不著的。』

公主左猜右猜，四郎卻一個勁兒的搖頭。最後四郎心想流落番邦十五載，夫妻兩人倒是十分恩愛，於是一五一十把所有情況都告訴了公主。

公主一聽之下，大爲吃驚，指著四郎道：『這件事要是傳到母后耳中，你還想活命嗎？』

四郎放聲痛哭，哭聲中充滿著無奈。公主心腸軟了，偷偷到母后那兒，藉著孫兒想玩令箭爲名，拿了一支金批箭，好讓四郎出關見佘太君一面。

四郎快馬加鞭趕到宋營，被當成奸細俘虜。六郎升堂審訊，才發現是以爲早已上西天的四郎，佘太君、八姐、九妹一家人哭得淚流滿面。

最後，快天亮了，四郎忍著悲痛，揮淚而別。趕回遼宮，蕭太后氣得要殺四郎。結果，鐵鏡公主抱著外孫，哭哭啼啼尋死尋活，蕭太后才饒了四郎一命。

四郎探母的故事充滿了人性，是中國人最熟悉的一齣戲。相較之下，正史中的韓延徽比戲劇中的楊延輝有作爲多了。

閱讀心得

【第428篇】述律后不讓鬚眉。

在上篇〈韓延徽探母〉之中，我們曾說，韓延徽能夠被遼太祖賞識，主要是遼太后述律后慧眼識英雄，現在我們就來看一看述律后的小故事。

述律后，小字月理朶，祖先是回紇人。在中國歷史上，有些史家把她比喻爲漢高祖的呂后（參考前面〈呂后嚇傻了自己的兒子〉），同樣是幹練有爲，陰險狠毒。

據遼史中記載，述律后處事敏捷，有果斷、有雄略。她曾經在遼、土兩河交會點，見有一女子乘坐青牛車，遠遠駛來。述律后匆匆避路，忽然之間，青牛車不翼而飛。過了不久，民間有童謠傳出『青牛嫗，曾避路』，契丹人以爲地祇爲青牛嫗也。

當遼太祖耶律阿保機準備打天下之時，述律后從旁提供不少計謀，而且她不光是只會講兵法，騎上馬來，武功可高強得很。曾經多次隨從丈夫出征，一點兒也不含糊。

契丹人很佩服這位女英雄，當遼太祖即位，羣臣特上尊號爲地皇后。神册元年，加號應天大明地皇后，手中帶領著一支精銳的部隊。

有一次，遼太祖遠征黨項，述律后隨行。紮下營帳之後，遼太祖要度過沙漠，討伐黨項本部，派述律后留守。在這個當兒，室韋族的黃頭、臭

泊發現太祖人馬前往大漠，沙塵滾滾，顯然已經走遠，不如趁這個機會，把太祖的營本部給摘下來。

述律后接到哨兵的消息，知道黃頭、臭泊要偷營，暗暗冷笑『你們以爲老娘是好欺負的嗎？』表面上不動聲色，擺出坐以待斃的低姿態。等到室韋族人到了營帳之前，述律后大喝一聲，人馬一擁而出，來一個，砍一個，打得敵人抱頭鼠竄。當遼太祖回來時，發現室韋的遺屍遍地，嚇了一跳。只見述律后笑盈盈站在帳篷前面，滿臉晃盪著得意。

從這一回以後，述律后三個字響遍了北方草原，也傳到了中原。李存勗由於剛剛辦完父親李克用的喪事，年紀又輕，只有二十四歲，基礎不穩，欲結外援。便以遼太祖曾與李克用結拜兄弟爲名，尊述律后爲叔母，以博取遼太祖的歡喜。

不但是五代的皇帝都要拉攏遼，與五代並存的十國中的南唐，也向遼示好。南唐主李昂曾經呈獻一種猛火油給太祖，遼太祖興趣很大。挑了三萬騎兵，準備用猛火油去攻打幽州。

述律后不同意這個主張，她搖頭反對：『那裏有要試驗油就去攻打其他國家的道理？』

說著，述律后把太祖拉到帳前，指著一棵樹說：『這樹要是沒有皮，還能夠活嗎？』

『當然不能。』

『這就是了，幽州有土地、有人民，正如同樹之皮。我們只要在幽州四野掠奪，不出幾年，這塊地方必然會歸於我們。何必現在去打，萬一打不下來，反而爲中國笑話。』

遼太祖聽了述律后的勸告，而且，不出述律后所料，到了太祖的兒子太宗時代，幽州果然爲遼所有。

征討幽州，述律后反對，但是出擊渤海，述律后卻十分贊成。這是因爲渤海與契丹爲陸地鄰國，土壤相接，易起糾紛。太祖野心甚大，惟恐渤海牽制後方，難以用兵。於是，在天顯元年，一舉殲滅渤海國，得到土地五千里、十萬士兵，兼領五京、十五府、六十二州，契丹愈來愈強大了。

由於述律后的威名遠播，因此在天顯二年，遼太祖駕崩於扶餘城時，述律后即稱制代行皇帝事，專決軍國大事，她得以從容不迫把遼太祖的靈柩運回。過了一年四個月，方才傳位給次子耶律德光，是爲遼太宗。

在遼太祖暴斃之後，述律后擔心若干桀驁的將領不服，會發生叛變。她一一對將領說：『你到先帝的墓前，爲我轉達言語。』然後，當將領到達墓地，述律后立刻派人予以撲殺。如此這般，前前後後，一共殺了一百多個將領。

最後，輪到後平州人趙思溫前往。趙思溫知道此去無回，不甘願白白送死，說什麼也不肯動身。

述律后臉一板，厲聲問道：『你以前是先帝最親近的人，爲何不去？』

趙思溫立刻一句話頂了回去：『假如是論親近，最親近先帝的，莫過於太后，后先行，臣跟從后而行。』

趙思溫這幾句話相當厲害，述律后臉色發青地回答：『我並非不願意從先帝於地下也，然而嗣主幼弱，國家無主，沒法前往。』

接著，述律后拿出一把利刃，猛割下一隻手腕，鮮血直噴。她下令道：『把這隻腕放入墓中。』做爲代表身殉。最後，趙思溫也免去一死。

根據『地理志』中記載，述律后是在義節寺中斷腕，並於寺中建立『斷腕樓』樹立石碑，以記其事。但是由於遼史趙思溫傳中並無其記載，也有學者認爲，或許述律后沒有眞正砍斷一隻手腕。無論如何，述律后英明而果決，契丹能夠勃興，與她有很大的關係。

【第429篇】

耶律德光撿木柴。

在前面〈劉仁恭的燒草政策〉篇中，我們說過，契丹原是八部大人之中選一人爲大酋長，遼太祖耶律阿保機聽漢人說，在中國是父以傳子，子以傳孫。人都是自私的，遼太祖心想，還是漢人聰明，遂決定將來要把皇位傳給兒子。

遼太祖的述律后一共生了三個兒子，遼太祖決定好好挑選一個最爲適合的繼任人選。

老大名倍，小字圖欲（有的書寫做突欲），幼年時代聰敏好學，爲人寬厚而善良。神冊元年，被立爲皇太子。

有一回，遼太祖問身邊的侍臣：『受命之君，應當事天敬神，有大功德者，朕想要拜祭他，不知該先祭那一位才好？』

『當然是拜佛。』太祖身邊左右的人都這樣回答。

『佛不是中國教。』太祖不以爲然。

這時，倍在旁邊說：『孔子大聖，萬世所尊，應該首先祭拜孔子。』

遼太祖很贊同太子倍的建議，即刻建立孔子廟，詔皇太子爲春秋釋奠。

由此可知，倍是比較溫文儒雅的。

再說老三，小字名叫李胡。這個小孩幼年時非常頑皮，生性殘酷。一

發起火兒來，若是小怒，會在人家臉上刺字，假如是大怒，乾脆把人投入水中，扔到火中。由於是老么，述律后特別疼愛他，但是他父親遼太祖卻不以爲然。

由於遼太祖對選立嗣君相當留心，有一天夜晚，他悄悄溜入三個兒子的帳篷，觀察他們的睡姿。結果發現，李胡縮著身子蜷在被內，太祖嘆口氣，指著李胡說：『他將來的成就，必在諸子之下。』

相較之下，老大耶律倍太過文弱，三弟李胡過分粗暴。看來看去，還是老二耶律德光比較合太祖之意，他擅長騎射，對軍國大事也十分留心。

爲了進一步試驗三個兒子之中，到底那一個最行，太祖又想出一個新方法。

在一個冰天雪地的日子裏，一家人圍著火取暖。眼看著木柴快要燒完了，做父親的就命令三個兒子：『你們趕緊去撿一些柴回來。』

過了一會兒，老二德光回來了，手上捧著一大捆木柴，裏面有大的、有小的，有乾的，也有濕的。他先把乾的木柴投入快要熄滅的火中，火勢立刻旺熱地燃燒著。同時，把濕的木柴圍著火，繞成一圈，待烤乾後，又可以再投入火中。

正在此時，老大也回來了，手上也捧著一堆木頭。可以看得出，這些木柴都是精挑細選，乾爽堅硬，適合取暖的木柴。

又過了半天，老三才慢慢吞吞的走回來。他先是隨便撿了幾枝濕木柴，走到一半嫌太重，又順手丟掉一些，因此最後只剩手上玩弄的幾根木條。

走回取暖的原地，老三也不幫忙翻弄木柴，只是站著袖手旁觀，一副事不關己的瀟灑模樣。

遼太祖目睹此景，發表評論說：『老大做事非常仔細，卻稍微嫌慢了一些，老二懂得事情輕重，能成大業，至於老三，實在太懶了。』

從這次撿木柴實驗之後，遼太祖暗中作了一個決定，要把皇位繼承給老二耶律德光，開始對他做有計畫的栽培。天贊元年，授德光爲天下兵馬大元帥，統六軍。第二年，他攻下平州，掠鎮定，敗幽州大將李存審等；又定黨項，下山西，取回紇，平渤海，東西萬里，所向有功。事實上，做爲一個草原社會中的遊牧戰鬥國家，也的確需要一個長於軍事的領袖來指揮國事。

因此，當遼太祖滅了渤海國（請參考上篇），改渤海國爲東丹，封長子爲東丹國人皇王之後，等於對長子有了安排，即遺命次子德光繼任皇帝。

太祖忽然暴斃之後，能幹的述律后想了又想，到底長子是太子，不好不讓太子繼承皇位，族人可能會有意見。所以，述律后福至心靈，擬一個妙法子，改用『選舉制度』。

述律后召集了所有的將領，在帳前對大家說：『我對老大、老二兩個兒子都一樣的疼愛，至於說，那一個適合領導大家當皇帝呢，就要看各位的意思來決定。現在，兩個兒子都騎著馬，立在帳篷前面，你們選擇那一個，不妨走向前去，拉著他的馬轡。』

這才眞是明知故問，大家都肚子裏雪亮，述律后較爲偏愛老二，而且述律后在遼太祖活著的時候，已經權傾中外。如今太祖歸天，誰還敢不聽她的意思？而且也沒有必要得罪新君。

於是乎，所有將領都爭先恐後去拉耶律德光的馬韁，並且高聲大呼『我等願意事奉大元帥。』氣勢雄偉萬分。

述律后看大家都乖乖地順從己意，十分開懷，口中卻說：『既然大家異口同聲要推舉德光，接受他的領導，我當然也不能夠違反衆意。』

於是，耶律德光紅光滿面的成爲契丹國的皇帝，是爲遼太宗，即位時才二十六歲。沒被選中的老大也只有尷尬地率羣臣對述律后說：『皇子大元帥勳望，中外攸屬，宜承大統。』

閱讀心得

【第430篇】遼太宗北歸。

耶律德光仗著本身足智多謀，以及父母的寵愛，登上了契丹國的皇帝，是爲遼太宗。

耶律德光當上了契丹大皇帝，他是排行老二。那個應該當皇帝的老大圖欲，仍然做他的東丹國人皇王。雖然表面上率領羣臣道賀，心裏頭非常彆扭不痛快。

另外一方面，耶律德光也不相信哥哥，總認爲他遲早會反叛。於是，派的人、衛士早晚監視。

在中國方面，後唐明宗李嗣源曉得了這件兄弟摩擦之事。他爲了削弱契丹的力量，派遣使者請人皇王前來，人皇王進退兩難，正好就此告別。他臨走之時，留下一首詩，這首詩寫得很妙：『小山壓大山，大山全無力，羞見故鄉人，從此投外國。』大山開溜了。

耶律德光即位之後，乘著中原一片紛擾，得以伸張勢力。後唐明宗李嗣源去世以後，他的女婿石敬瑭爲了要搶奪帝位，請求耶律德光軍援。耶律德光看準石敬瑭想當皇帝的猴急模樣，好好的大敲了一筆竹槓。不但要求石敬瑭稱臣，割讓燕雲十六州，每年輸帛三十萬匹，而且更要佔石敬瑭便宜，命令四十歲的石敬瑭，乖乖地喊他這個三十四歲的耶律德光

為爸爸，並且在册文中寫明『予視爾若子，爾待予猶父……國號曰晉，朕永與爾為父子之邦，保山河之誓。』

石敬瑭如願以償當上後晉高祖，成為歷史上遭人訕笑的兒皇帝，在當時人也認為是奇恥大辱。因此，當石敬瑭去世之後，他的兒子石重貴（出帝）認為做耶律德光的孫子已經夠吃虧的，不願意再稱臣，並且大言不慚對耶律德光說：『翁怒則來戰，孫有十萬橫磨劍以待。』

可惜的是，十萬橫磨劍似乎不管用，耶律德光終於滅了後晉，在汴京，正式當了中原的皇帝，建國號為大遼（關於這一段故事，曲折離奇，我們在講五代時，曾經敘說得十分詳盡）。

耶律德光當了遼太宗，以胡人而君臨中國，雖然已經漢化，畢竟程度還淺，尤其遼人的打草穀，讓中國人民消受不了。什麼是打草穀呢？原來，遼朝的兵制，凡是年滿十五歲以上、五十歲以下者，都必須要服兵役。每人要配備弓四張，箭四百支，以及槍、斧、小旗、火刀、石馬等武器，這些都各人自理，甚至連軍糧、馬草，公家都不發給。反正你手上有武器，可以去搶啊。

漢奸趙延壽曾經建議太宗，給遼軍發軍餉，遼太宗不答應道：『我國無此制度。』他還是『縱胡騎四出，以牧馬爲名，分番剽掠』，繼續採用不花一文錢的打草穀。

如此一來，給中國人民留下極壞的印象，東方羣盜紛起。遼太宗覺得眞是煩，他一再嘆氣，『我以前不知道，中國人難治如此。』

想當初，遼太宗的母親大人述律太后，曾經警告過兒子。述律太后見太宗野心勃勃，討伐中原，牽掛的問太宗：『如果，漢族人到胡地來做主人，行嗎？』

『這怎麼可以？』太宗訝異的望著母親，很奇怪她有此一問。

『好，你既然知道，爲何你要去做漢主呢？』

『石重貴負恩背義，安能容得？』太宗不服氣道。

述律太后兩眼一瞪，指著太宗說：『你今天雖得漢地，萬一不能統治，悔之晚矣。』接著又說：『漢兒如能回心，我們還是與之謀合算了。』

遼太宗不肯聽母親的話，因爲他自認與父親遼太祖一般，是個中國通。遼太祖不但任用韓延徽等漢人，而且偷偷學會了中國話。他曾經無心之中，對姚坤說溜了嘴道：『我能講漢語，但是絕口不言，免得其他人效法，懼怕漢人。』

遼太祖也下過一番工夫了解中國。他入主中原時，不可一世的誇口：『中國事，我皆知之，我國事，汝曹不知也。』汝曹即為『你們』的意思。

太宗雖然略知中國皮毛，他內心深處依然不敢信任漢人，他所派出的節度使，高級官員全部都是遼人。遼人不會講中國話，其間溝通要仰賴翻譯。這些擔任翻譯的漢人，大半都是流氓無賴，趁機會欺負百姓，逼得百姓一股一股起來造反，使得太宗頭大極了。

當了中國皇帝，最叫太宗難以忍受的是天氣，水土不服，難過極了。黃河流域的氣候，到四月之後，對習慣冰天雪地的契丹人而言，已經是『天熱暑濕，水土難居。』等到了六月、七月，那更是不堪忍耐。

同時，遼人是騎在馬上長大的，過不慣城市生活。遼太宗自知中國人民不服，待不下去。與其將來被趕走，有失面子，還不如找個藉口下臺，自動回國。他召集百官宣佈：『天氣太熱了，我是北方人，不適合南方氣候，我要回去避暑。』

當他出發回國時，心中無比暢快，喜孜孜地說：『我在上國以射獵為樂，至此令人悒悒，現在得以歸返，死無恨矣。』

遼太宗來不及回國狩獵，走到半路臨城（河北省臨城縣）忽然得病而死，享壽不過四十六歲。左右人惟恐天氣熱，屍體會腐壞，把太宗的肚子剖開，放入數斗鹽巴。當時，漢族人稱遼太宗的遺體為『帝羓』（乃醃肉也）。

閱讀心得

【第431篇】偏憐之子不保業。

誰也沒有料到，身體棒得像一頭牛的遼太宗，竟然會得了急病，一命歸天。遼太宗在死時並未留下遺詔指定繼承人，因此軍中一片憂心忡忡，不知道如何是好。

其中北院大王耶律吼首先提出這個問題。他說：『天子大位不可一日空懸，若是請命於太后，必屬李胡。李胡暴戾成性，殘忍異常，如此一來，大家的日子就不好過了。』

這李胡是誰呢？在前面〈耶律德光撿木柴〉篇，我們說過，遼太祖與述律后生了三個兒子；老大耶律倍，老二耶律德光（遼太宗），老三耶律李胡。述律后偏心，太祖死後，把皇位傳給了耶律德光，老大只好出奔。李胡雖然品行不佳，不過因爲他是老么，述律后特別寵他。因此假如述律后（如今改口述律太后了）知道這件事，一定會做主把皇位傳給李胡。既然人人不滿意李胡，決定暫且先隱瞞太后有關太宗暴斃之事，先擁立兀欲爲皇。兀欲乃老大耶律倍的兒子，當老大出奔國外，他並未隨行，反而自動留了下來，所以太宗特別喜歡他，把這個姪子看成親生兒子。

據史書中記載，兀欲很有人緣，慷慨大方、禮賢下士。太宗曾經賜給他數千匹絹錦，他居然在一日之間，全部分贈屬下，因此收服不少人心。

兀欲對這個突然自天而降的皇位，頗有幾分猶豫，左右的人紛紛勸他：

『……天下屬意，多在大王，倘若不能當機立斷，日後，必然後悔無及。』

同時，臣子們都還記得，當初遼太祖死後，述律太后爲了穩固政權一口氣撲殺了許多將領（請參考前面〈述律后不讓鬚眉〉篇）。這會兒，遼太宗去世，誰又知道述律太后會不會舊戲重演，再殺一些將領殉葬。所以將領們異口同聲擁立兀欲，用這個孫子與祖母抗一抗。

於是兀欲正式在恆州登帝位，是爲遼世宗，同時正式發喪，爲太宗舉哀，並且派人把太宗靈柩運往上京。

厲害的述律太后現在才知道老二死了，老大的兒子兀欲自作主張當了皇帝，氣得大發雷霆：『棄國南奔（指老大人皇王）的兒子怎能爲我國主，而且不和我商量？』立刻命令李胡出戰。

李胡心狠手辣，先把世宗的臣僚家屬扣留當人質，然後，放出狠話：『如果此戰不克，我先把人質殺光。』

遼國上上下下，眼看一場祖母與孫子的大戰即將開始，都在搖頭嘆息：『再這樣下去，那就是父子兄弟一塊同歸於盡了。』

在遼朝，有個很有學問的人，名字叫耶律屋質，精通天文地理，上上下下都尊敬他。耶律屋質決定當一個和事佬，調和雙方。

他先去找火冒三丈的述律太后，很坦誠地對太后進言：『李胡是太后的兒子，世宗是太祖的孫子，無論那一個繼承皇位，宗廟社稷都不會變，何苦要雙方開戰，損傷國家的元氣？』

『假使，我有意和解，誰爲使者？』述律太后的口氣有些軟化了。

『如果太后不疑臣，臣願前往。』

因而，太后派耶律屋質爲使者，前往與世宗談判。

世宗先是不肯，他倨傲的說：『沒有什麼好談的，朕統率的大軍，是何等精銳的部隊，那些個烏合之衆，憑那一點與我對抗？』

屋質停頓了一會兒，沉重的說：『即使他們打不過你，骨肉相殘，畢竟不是一件好事。再說作戰的結果，到底如何，勝負尚未可知。就算你打贏了，你的家小都扣在李胡手中，爲了妻兒這一點，也應當和解。』

屋質這一番話，講得合情入理。他這麼一分析，本來摩拳擦掌準備大幹一場的將領，一個個都低下了頭，默默地沉思不語。

最後，世宗擡起頭來，定定的望著屋質：『當如何和解？』

屋質回答：『應當與太后相見，開誠佈公。』

在屋質的來回斡旋之下，祖孫決定談判。一見之下又互相攻擊，毫不相讓。多虧屋質兩邊說好話，才消除了一些火藥氣息。

述律太后說：『今日戰爭雖免，而神器（皇帝大位）究竟屬誰？』

李胡在旁趕緊嚷嚷：『今有我在，兀欲何德立爲天子？』

屋質搖搖頭說：『禮法上有傳給長子，不傳給弟弟一說，何況你暴戾殘忍，人多怨恨，人情不可奪也。』

述律太后氣得捶胸：『你聽聽，不是我不幫你，你自己不成材。想當年我與你父親最寵你，這正是應了俗話「偏憐之子不保業」，你自作自受。』

『偏憐之子不保業』的意思是說，父母最寵愛的小孩，往往不能保全祖業。

閱讀心得

【第432篇】遼興宗與宋仁宗互贈字畫。

經過一場政治鬥爭，遼世宗登上了帝位。以後經過景帝、聖帝，傳到遼興宗。

此時的遼朝，經過長時期漢化，逐漸與中原傾向和睦，雖然自從富弼之盟以後，宋朝仍然每年要給遼銀二十萬兩、絹三十萬匹。

遼興宗其人，據說還帶有一些漢人血統，除了晚年與西夏發生戰爭外，倒是安安穩穩當了二十多年的太平天子。他多才多藝，擅長繪畫，平日雅好遊山玩水，尤其鍾情於釣魚。

爲了表示自己是風流雅士，他曾經親手畫了一隻鵝，浮游在碧波蕩漾中，送給宋仁宗。宋仁宗接到畫，自然不能示弱，立刻命人磨硯臺、鋪宣紙，洋洋灑灑寫了幾個字，而且是不容易寫得好的飛白體回贈。彼此之間用書畫往來，倒是極爲脫俗的國際文化交流。

由於遼朝逐漸有文化，漢人也不再以夷狄視之，辦外交的富弼就曾經說過：『自從契丹取得燕薊以北之地，他們得中國土地、仿中國官屬、任用中國賢才、飽讀中國詩書、實行中國法令。可以說，中國有的，他們都有，契丹所有的勁兵驍將，反而是中國所沒有的。』因此，主張採取理智的態度，運用外交手段，維持與強敵良好的和平關係。

宋朝積弱不振，自知武力不敵，因此希望『以德懷遠』——用道德來懷柔感化遠方的人。

爲了互相表示自己有文化，兩國之間交聘的使節，也是千挑百選，而且經常以文人學者出使，以期不辱沒國體。

遼興宗去世了，遼道宗即位，新皇登基，遼朝經過再三的考慮，決定派遣親貴蕭謨魯及翰林學士韓運來通知宋朝。

當此二人率領的代表團一到，滿朝文武嘖嘖稱讚：『好得很』、『進退應對，有禮貌』、『有涵養』。那麼，宋朝方面該派誰去前往道賀？

想來想去，最後推派了文章道德首屈一指的歐陽修出馬。遼朝聽說歐陽修要來，也覺得極有面子，十分高興。

當歐陽修出使，來到契丹，契丹派出四位貴臣相迎，所到之處，大受歡迎，而且，滿朝大臣熱熱烈烈設宴款待。歐陽修自己也沒有料到，竟然會在北朝受到如此重視，心中萬分的感動。

遼朝官員特別對歐陽修道：『如此款待你，並非本朝規矩，而是因你的文名滿天下，我們特別看重你。』（請參考前面〈庭院深深深幾許〉篇）

遼興宗生前，曾經自己畫了一幅自繪像奉獻給宋朝皇帝，並且要求宋主也回送一幅像，做爲兄弟友好的表示。到了宋朝嘉祐三年（道宗清寧四年），宋仁宗遵守承諾，也派人帶了肖像，送給契丹。

遼道宗看到宋仁宗的御容，特別把這一幅肖像恭恭敬敬供奉在慶州的廟堂之中，早晚膜拜。後來，當宋仁宗去世，訃聞送到契丹，遼道宗竟然還狠狠地痛哭一場。

在當時，遼朝不但皇帝附庸風雅，皇后亦是知書達禮，遼道宗的皇后——宣懿皇后就是歷史上有名的才女。

宣懿皇后姓蕭，事實上遼朝每一個皇后都姓蕭，一共有十三個蕭皇后。像一開始的述律后是個厲害的蕭太后，與楊家將作戰的蕭太后，更是歷史上最爲人們所熟知的女豪傑。

宣懿皇后是個不折不扣、花容月貌的美人兒。從小背誦詩書、涉獵經書、子書。長大以後，姿容端麗，不但人美，更有一份神聖不可侵犯的氣質，因此人們稱之爲觀音，因爲看到她，就使人想起大慈大悲的觀音菩薩。長大以後的宣懿皇后，更加顯現出不凡的才華。她會作詩，喜愛書法，能自己寫歌詞，喜歡彈箏，更彈得一手好琵琶，可以說是才貌雙全。

遼道宗一見到宣懿后，馬上就愛上了她。當時道宗年僅二十一歲，還沒當皇帝，只是以兵馬大元帥與聞朝政。小夫妻相當恩愛。

遼清寧二年八月，遼道宗前往秋山打獵，宣懿后率妃嬪隨行。到了伏虎林，道宗停下來，對她說：『你何不賦一首詩助興？』

宣懿后倒眞是不含糊，隨即應聲朗誦道：『威風萬里壓南邦，東去能翻鴨綠江；靈怪大千俱破膽，那教猛虎不投降。』

道宗大喜，拿著皇后所作的詩，不斷地在羣臣面前炫耀，不停地說：『皇后可謂女中才子。』

第二天，打獵繼續進行，道宗意興飛揚，不可一世。正在此時，一隻猛虎竄上前來，道宗曰：『朕必射得此虎，方不負皇后昨日之詩。』說著，一支箭飛快射出，不偏不倚直入猛虎心臟，老虎應聲而倒，衆人興奮地拍手叫好，羣呼：『萬歲，萬歲，萬歲！』

清寧四年，宣懿后生下皇子濬，是爲昭懷太子。太子很小便會講話，聰明伶俐，而且好學知書，道宗打心眼裏疼愛他。在六歲那年，封爲梁王。遼道宗擁著嬌妻愛子，幸福無邊。

閱讀心得

【第433篇】

耶律乙辛吃太陽。

遼興宗去世以後，遼道宗即位，他娶了才貌雙全的美人兒宣懿皇后，並且生下一個幼而能言、好學知書的昭懷太子。可謂妻賢子孝，集人生幸福於一身。

然而，很可惜的，歷史上記載遼道宗與宣懿皇后的婚姻，並不像外國童話故事中形容的『王子公主結婚後，一輩子過著快樂美滿的生活。』

這是怎麼一回事呢？原來人是會變的，道宗剛剛即皇位之初，確實是求直言、訪治道、勸農興學、救災恤患，很有一番作爲。

但是，當一個好皇帝太辛苦了。漸漸地，道宗沒有興趣打起精神做事，尤其到了晚年，更有倦勤之感。

譬如在壽昌初年，遼道宗每回想到該用何人爲何官，如何才能選擇適合的官員，就滿肚子的厭煩。有一天，他竟然靈機一動，將大臣們召集來扔骰子，看誰的紅點最多。

一扔之下，耶律儼的紅點第一，遼道宗很高興，舉起耶律儼的手說：『這是上相之徵也。』於是，任命耶律儼爲參知政事做了宰相。國家用人大事，糊塗至此，也眞是夠瞧的。

遼道宗不喜政事，醉心於狩獵，每次打獵，總是一馬當先。他騎著一

匹快馬叫做『飛電』，這匹飛電可眞快如閃電，瞬息百里，一會兒工夫就不見了。

道宗時常騎著飛電，快馬加鞭跑入深林邃谷之中。他的隨從們追得氣喘如牛，還是跟不上。好不容易也到了森林，卻又不知道宗在何處，著急得滿頭大汗。深恐道宗身邊沒有警衛人員，會因此而發生不測。遼道宗本人卻非常喜歡這種捉迷藏遊戲，每隔不了多久，就遊興大發。

在上一篇之中，我們說過，道宗與宣懿皇后新婚之時，皇后曾以『那教猛虎不投降』來讚美道宗的身手。不過，在宣懿后心目之中，狩獵乃偶然爲之之事，像遼道宗這般不理正事，又時時冒不必要的危險，實在太不應該了。

宣懿后由於自小飽讀詩書，她決心要效法唐太宗時，長孫皇后與徐賢妃對皇帝上諫。她對道宗說：『你一個人騎著快馬，深入森林，萬一遇到什麼猛獸，那眞是不堪設想，我深深爲國家感到憂慮。』

遼道宗表面上唯唯諾諾，表示嘉許之意。事實上，他對宣懿后一而再、再而三的勸諫，可是厭煩透頂，這就是忠言逆耳也。自然而然的，道宗對宣懿后的感情日益淡薄。

還有一點，宣懿后小字觀音，是端莊典雅之人，她曾經看不慣皇太叔耶律重元之妻，搔首弄姿、妖裏妖氣的模樣，當面指責重元的妻子：『你既爲貴婦，何必如此！』

由此可見，宣懿后是個比較嚴肅的女子，也許這也使得夫妻之間愈隔愈遠。宣懿后心中頗爲苦悶，遂寄情於音樂詩詞。

這種情形，看在別有用心的人眼中，就成爲可以利用的時機，其中之一是遼朝的大奸臣耶律乙辛。

耶律乙辛，父親名叫耶律迭剌，因爲家裏太窮了，時常斷糧，部落中的人稱他爲『窮迭剌』。

據說，耶律乙辛的母親懷他的時候，晚上做了一個夢，夢裏面她與一隻羚羊搏鬥，硬生生把羊的兩隻角拔掉。到底是遊牧民族的女子，才會做如此勇猛的夢。

夢醒了以後，她覺得十分怪異，請人去解夢。占術者告訴乙辛的母親：

『這個夢大吉大利，你想想看，羊去掉上面兩隻角，那是什麼字？』

『王啊。』

『對，這表示你生下的這個小孩，將來要當王。』

耶律乙辛的母親聽了好樂。等到乙辛誕生那天，她正在路上行走，匆匆產子，正愁沒有水爲嬰兒擦身子，忽然地上噴出一股清泉。大家都說，這個孩子福大命大。

耶律乙辛從小聰明慧黠，很有辯才，卻心術不正。有一回，父親迭剌命他帶羊去吃草，乙辛偷懶，在牧場上睡著了。迭剌跑出來找他，找了半天，才發現乙辛正在呼呼大睡。

迭剌很生氣，一巴掌打過去，把乙辛從夢中驚醒，看到迭剌的憤怒模樣，知道少不了要挨揍，他立刻編了一套戲詞：

『是什麼人，驚擾了我的好夢？我正夢到有人拿了月亮、太陽要給我吃，我已經把月亮吃完了，太陽吃到一半竟然被打斷了，可惡！』

迭剌看呆了，十分害怕。他想，乙辛打從娘胎開始，就顯出種種不凡，萬一乙辛眞是通靈，打擾了他吃太陽，那眞是罪過罪過。

迭剌不但沒有處罰乙辛睡懶覺，而且從此以後，根本不敢叫他去放羊。

乙辛長大了，這個從小說謊的小朋友，長得倒是一表人才，十分英俊，人見人愛。遼興宗非常喜愛他，興宗皇后也命令他爲補筆硯吏。

道宗即位以後，更加重用乙辛，任命他爲北院樞密使，更賜爲匡時翊聖謁忠平亂功臣。由於道宗昏庸，乙辛方便弄權，每天往他家大門送禮物的絡繹不絕。凡是巴結乙辛的，都能有權有勢，不屑與之爲伍的都被斥竄。

到了太康元年，道宗寵愛的昭懷太子耶律濬已經十九歲了，並且也已結婚生子。由於太子濬十分英明，耶律乙辛十分憂愁，他遂決定利用宣懿皇后與遼道宗的感情疏遠，設下毒計。

閱讀心得

【第434篇】宣懿皇后與十香詞。

遼道宗與宣懿皇后結婚以後，雙方因爲互相了解而日趨不合，因此從小善於扯謊的奸臣耶律乙辛準備伺機而動。

宣懿皇后雅好詩詞，她所寫的絕妙好詞（如迴心院詞、絕命詞）迄今猶爲人們傳誦。此外，宣懿后彈得一手好琵琶，她十分欣賞伶官趙惟一的曲調，時常宣他進宮，共同研究音韻。

耶律乙辛知道這件事，決心加以利用。他買通了宣懿皇后的貼身侍衛，以及兩個女樂工，出來指認皇后與趙惟一要好。

這一狀告到道宗那兒，道宗大爲震怒，把宣懿皇后叫來問案。

宣懿皇后哭得淚漣漣道：『這怎麼可能？我身爲皇后，已是婦人登峯造極之境。現在不但有了兒子，還有了孫子。兒孫之前，我那會做出這種不名譽的事？』

道宗不相信皇后，從衣袋中掏出十香詞，丟在地上道：『這不是你寫的嗎？』

其實，十香詞並不能代表什麼，何況有後人查證，十香詞太過鄙俗，不像出自宣懿后之手。

道宗再次命令耶律乙辛：『你給我仔仔細細的調查！』

不多時，耶律乙辛很得意的把證據找到，當面呈給道宗。

道宗一看，原來是首詞——『宮中只數趙家妝，敗雨殘雲誤漢王，惟有知情一片月，曾窺飛燕入昭陽。』

道宗看完了，狐疑地問：『這首詞是皇后罵趙飛燕的，有什麼不對？』

（趙飛燕如何誤漢王，請參考本書前面講過的故事）

耶律乙辛遂一步向前對道宗曰：『宮中只數趙家妝中有個「趙」字，惟有知情一片月中又有「惟一」兩個字，這前後加起來，不正表示皇后心中只有趙惟一一人？』

老實說，這樣的文字獄不通之至，卻把本來怒火沖天的道宗氣得發抖，他立刻下令：『即日誅趙惟一，並賜后自盡。』

命令一頒佈，昭懷太子濬及幾位公主們，一塊下跪，披頭散髮，哀求願意代母一死。

道宗絲毫不爲所動，他生氣的說：『朕親臨天下，臣妾億兆，竟然不能防止一婦人對我不忠心，我還當什麼天子？』

於是，可憐的宣懿皇后就以一匹白練上吊而死。死了以後，遼道宗的怒氣猶未消，他命令把皇后屍體剝去衣服，赤身裸體包裹在一張草蓆之中，送回宣懿后的娘家。

宣懿皇后死得這般悲慘，識與不識都同聲哀悼，昭懷太子哭腫了眼睛，發瘋般地滿地亂滾，並高聲發誓：『殺我母親的是耶律乙辛，他日不誅此賊，不爲人子！』

平心而論，若是以當時宋朝人的眼光看這件事，宋朝的婦女是大門不出，二門不邁。宣懿皇后堂堂一朝之后，竟把一個大男人伶官喚入後宮，研究曲譜，單單這一點就死有餘辜了。

不過，我們要知道，宣懿后雖然有才情，會作詩，畢竟仍是契丹人。契丹草原文化與中原儒教文化大不相同，所以以契丹人的標準，伶官趙惟一隨便出入宮闈，並不是一件奇怪之事。

言歸正傳，昭懷太子在母后被害以後，內心十分激憤，臉上也總籠罩著一層陰影。他心忖，自己身爲總領國政，兼知南北院樞密院事，整個國家，除了皇帝，數他最大。他居然不能救活自己的母親，讓母親受冤而死，而且背不名譽的穢聲。愈想愈窩囊，整日憂慮，該如何才能報仇。

耶律乙辛做了壞事，也擔心昭懷太子一朝登上帝位，他這條小命不保。於是，乙辛想出一條美人計。他入奏遼道宗：『皇帝與皇后有如天地並位，中宮豈可久曠。』然後介紹蕭坦恩這位美人兒給皇帝。

太康二年，蕭美人選入掖庭立爲皇后，耶律乙辛打的如意算盤是：希望新的蕭后趕快爲道宗生一個兒子，就可以把昭懷太子廢了。

這位新蕭后人長得漂亮，才能卻平庸。遼道宗看久就看厭了，她也沒有生下皇嗣。

耶律乙辛的計畫泡了湯，心裏七上八下。碰巧此時有個名叫蕭忽古的護衛，具有俠義心腸。他看不慣耶律乙辛狡佞殘忍，誣害皇后，悄悄躲到橋下，準備暗殺乙辛。

可是，偏不湊巧，一場暴風雨把橋吹壞了，蕭護衛的計謀敗露，被捕下獄。

這場橋下驚險，使乙辛益發不安。他手下狼狽爲奸的心腹也提醒乙辛：『今臣民之心，均屬於太子，公非閥閱之家。太子一旦即大位，我輩尚有容身之地乎？』

乙辛愈想愈發毛，決定採取進一步的行動。

閱讀心得

【第435篇】

昭懷太子的冤屈。

奸臣耶律乙辛誣陷宣懿皇后和宮廷伶官趙惟一要好，糊塗昏庸的皇帝——遼道宗未加明察，怒火中燒，賜宣懿皇后以白練自盡。宣懿皇后忍辱含淚，寫了一首流傳千古的『絕命詞』之後，關起宮門，上吊而死。

宣懿皇后死後，昭懷太子夜夜不得安眠，朝思暮想如何除去耶律乙辛這個大奸臣，爲含冤而死的母后報仇雪恥。偏偏耶律乙辛在遼道宗面前，永遠是那麼恭順，那麼善體人意，以至於朝中好人一空。凡是巴結者，皆獲薦擢，忠直者，無一不被斥竄。

乙辛當然知道太子對他恨之入骨，也非常清楚，萬一道宗歸天，昭懷即位，必然要剝他的皮，吃他的肉。狡詐的乙辛想出一條毒計。

他派了蕭訛都斡假裝前去自首道：『臣前次曾經參加殺害皇上，謀立太子的陰謀，惟恐一旦事發受到株連，因此，特別前來請求賜罪。』在中國古代皇帝乃神聖不可侵犯，具有絕對的排他性，不能容許任何人染指。所以，道宗一聽之下，龍顏大怒，立刻傳旨，『嚴刑鞫治』。

這一下，正中乙辛下懷，他把蕭訛都斡口中『供出』的同謀，一個一個五花大綁。在犯人脖子上繫一根繩子，繩子上面，綁上重物，猛地一抽，

脖子給勒得不能出氣，臉色發白。

乙辛傳令『鬆綁』，然後再重施故技，人人不堪其酷刑，惟求速死。乙辛遂得意洋洋上報道宗：『別無異辭，確實有此計畫。』

既然犯人都招了，立刻處死，死後且不准掩埋，以至於遠遠就可聞到一股屍臭，悲慘極了。

下面該輪到主謀——昭懷太子了。刑官先狠狠打了太子數十大棒，把太子打得昏天黑地，口角流血，用種種刑求逼迫太子招供。

昭懷太子此時眞是心灰意冷，彷彿看到母親宣懿皇后在天國召喚，他緩緩地說：『我既然已經被立爲儲君，尙復何求？爲什麼還要造反？望你們爲我辯之。』

這句話說得一點兒也不錯，古來，雖然也有太子謀反之事，不過那都是當太子不穩，爲求自保，不得不起兵造反。

昭懷太子並沒有這種情形。雖然，乙辛曾經在宣懿皇后被害以後，介紹蕭坦恩給道宗當皇后，但是這位新后並沒有爲道宗生下皇嗣，當然不構成對昭懷太子的威脅。遼道宗如果腦筋稍稍清楚一些，就會了解這是乙辛之詐。

可嘆的是，道宗對乙辛一直深信不疑，對他信任的程度，竟然超過自己的親生兒子。因此，當乙辛把太子的口供更改爲『準備廢父皇，而由自己登位屬實』呈報給道宗。道宗想也不想，立即下詔，廢太子爲庶人（平民），關在上京圜堵之中。

乙辛爲了怕夜長夢多，不久之後，派人把昭懷太子害死獄中，其年只有二十歲。然後向道宗報告，說太子是生了重病，回天乏術。

太子一死，乙辛及其同黨見後患已除，樂得痛飲數天。道宗聽說之後，很不高興，對於上一回殺害宣懿皇后，他是出於妒忌，衝動之下逼殺皇后。但是，對於昭懷太子，自己的親生骨肉，即或廢爲庶人，也沒有要他死的道理。所以，命令官吏把太子葬在龍門山。

道宗對自己的莽撞，頗有悔意，遣太子妃入宮，想要安慰安慰她。心狠手辣的耶律乙辛，擔心太子妃會說出太子是如何被陷害而死。一不做，二不休，把太子妃也一併殺了滅口。

這一會兒，乙辛已殺害了宣懿皇后、太子、太子妃三個人。他還不放心，因爲太子留下一個小孫子耶律延禧，如果不殺，畢竟仍然是個遺禍。

道宗太康五年正月，遼道宗出外打獵，耶律乙辛上前一步奏曰：『皇孫年紀尚幼，請求留在宮中。』他又在打壞主意了。

這時，忠臣同知點檢蕭兀納上諫：『陛下若是聽從乙辛之意，留下皇孫，皇孫尚幼，左右無人，願留臣保護，以防不測。』

道宗此時心中有些兒明白了，遂帶著小皇孫一塊去打獵，開始對乙辛起了懷疑。

過了不久，道宗再度前往黑山打獵，猛一回頭，發現大夥兒都跟在乙辛後面，御駕身旁，反而沒有幾人，心中厭惡不已。回來之後，降乙辛爲混同郡王，不久，又改派爲興中府事，從京官貶爲地方官。乙辛是個不安分的人，竟將宮中的寶物售給外國。道宗下詔，以鐵骨朶（大概是腳鐐之類的刑具）囚禁在來州，乙辛仍然想造反。最後，道宗下令縊殺之。

乙辛死了，但是道宗心愛的宣懿皇后、太子、太子妃也全賠上了一命，晚年的道宗在傷心與悔悟中度過。他爲了彌補罪孽，對皇孫耶律延禧倍加寵愛。但是他過度溺愛皇孫，反而助成後來皇孫當上皇帝（天祚帝）以後的顢頇驕縱。

閱讀心得

【第436篇】

天祚帝尋覓名鷹。

遼道宗誤信奸臣耶律乙辛的話，把宣懿皇后、昭懷太子、太子妃先後殺害。後來，道宗發現自己上了當，十分後悔。

也許是基於一種悔恨交加的心理，遼道宗晚年，對太孫延禧倍加疼愛。太孫延禧是遼朝耶律阿保機建國之後第九代的皇帝，也是最後一位皇帝。他是道宗的長孫，漢名爲延禧，小字阿果，昭懷太子的長子，史稱爲天祚帝。

天祚帝的幼年，實在過得相當悲慘，遭遇到骨肉巨變，名爲皇孫，卻是一個沒人疼愛、孤苦零丁的小可憐。

在天祚帝出生那一年，太康元年，他的祖母——宣懿后被奸臣耶律乙辛陷害，誣指她與宮中伶官要好，他的祖父——道宗一怒之下賜死宣懿后。過了兩年，天祚帝尚在襁褓之中，他的父親昭懷太子，也因乙辛之故被廢、被囚，最後甚且被乙辛暗殺了。而且，毀屍滅跡，連屍首都找不到，宮中一片愁雲慘霧。

更可悲的是，天祚帝的母親，昭懷太子妃，有一次被公公道宗召見，準備追問太子死亡的經過，這當然是奸臣們所不願意的，一不做，二不休，乙辛又把太子妃殺了滅口。

在這一連串的人間悲劇中，天祚帝與妹妹延壽公主乏人照料，借住在一個忠臣蕭懷忠家中。後來，道宗終於迷夢清醒，才派人把天祚帝帶回宮中。據史家研究，天祚帝兄妹二人的童年，實在是一頁賺人眼淚的『孤兒流浪記』。可惜史料缺乏，我們不能得知其間詳細的經過情形。

天祚帝入宮以後，道宗對這位小皇孫寵愛萬分。年紀大的人，本來容易疼愛孫子，再加上孫子的父親、母親、祖母，都是因爲做祖父的糊裏糊塗而丟掉了性命。爲求心理的補償，道宗對天祚帝是要什麼，有什麼。

天祚帝在六歲那年，被封爲梁王，後封爲燕國王。等到稍稍懂事，即任以尚書令，授大元帥。

想當初，道宗誤信耶律乙辛的讒言，賜死宣懿皇后之後，乙辛立刻介紹一位大美人給道宗，是爲新的蕭后（遼朝所有皇后都姓蕭）。如今，道宗爲著表示懺悔的誠意，當他決定把天祚帝當皇嗣的同時，降新后爲惠妃。這一連串親愛的表示，都是爲了悔過。

在悔恨與惋惜的心情之中，道宗含飴弄孫，度了晚年。壽昌七年，駕崩於行宮之中，享年七十。遺詔天祚帝嗣位，這一年，天祚帝二十七歲。就像武俠小說之中的『殺父之仇，不共戴天』，天祚帝即位以後第一件事就是報仇。雖然此時耶律乙辛早已去世，他恨透了乙辛，不甘就此罷休，下令開棺戮屍。乙辛的家屬，分別賜給被害人當奴隸。乙辛的黨徒及其子孫，都被派往邊疆充軍。

寃有頭，債有主，天祚帝總算痛痛快快爲祖母、父母都報了大仇。

可嘆的是，他親眼看見祖父道宗，因爲不信忠言，落到懊喪痛苦，家破人亡的慘事，天祚帝卻不能記取教訓，照樣地，步上道宗昏庸的後塵。在天祚帝小時候，最喜歡與祖父道宗一塊兒去打獵。自己當上皇帝以後，更是終年打獵，不理會政事。道宗時，曾有才女宣懿后寫詞，規勸道宗不要沉迷於騎射遊獵，無獨有偶的，天祚帝的文妃也有才智，擅長歌詩。她眼見天祚帝畋遊無度，不恤政事，貶斥忠臣，內心十分憂傷，曾作『憂國詩』諷諫，天祚帝看也懶得看一眼。

因爲喜愛打獵，天祚帝對海東青簡直著了迷。

什麼叫做海東青？海東青是一種名鷹，俊異絕倫，一飛千里，鷹、鸇、鵰、鶚之類，根本比不上。海東青的體型小巧玲瓏，威力無窮，尤其善於捕天鵝、鵝鶩。特別是一種白爪的海東青，漂亮極了，遼朝人視之若寶。除了海東青相當名貴，還有一種『玉爪駿』也相當不錯，這兩種鳥都產在吉林省、烏蘇里江、松花江一帶那兒，當時爲女眞部族的居住地。

女眞這個部族，在中國古代名爲肅順，漢朝稱爲挹婁，南北朝稱爲勿吉，隋唐時稱爲靺鞨，五代時期才開始名爲女眞。

遼朝歷代的君王貴族都愛打獵，都酷嗜海東青。當國勢強大以後，千方百計尋求海東青。每年都派遣使者，要求索取海東青。天祚帝尤其貪婪，百般索求，女眞實在不耐其煩。

海東青既然爲鷹中之最，那裏是容易被逮著的？可是遼朝卻每年都要徵集海東青，驅使女眞官民，限期尋獲。假如那個部落不肯聽命，立刻吊起來打，甚且活活打死，女眞實在是敢怒不敢言。

遼朝派去搜鷹特使，稱之爲『銀牌天使』。這些『天使』到了女眞，看見美女就搶，即使美女有了丈夫或出自貴族之家都不管，女眞人恨之入骨。

再加上，女眞產有北珠，又名東珠，乃人間稀少罕見之大珍珠。在宋朝宮廷之中，北珠也是最受歡迎的寶貝，據說大如酸棗，晶瑩明亮。北珠產在遼東海中，在北方九月、十月，冰已厚有數尺，遼人命令女眞人鑿冰採珠，採到了北珠，人也奄奄一息了。

由於天祚帝的橫暴，更因他蠻不講理尋求海東青，引發了遼與女眞之間大戰。

閱讀心得

【第437篇】

阿骨打不戴盔甲出征。

遼朝天祚帝童年經歷人間慘事，即位以後卻不知記取教訓，荒淫無道。他熱中於打獵，屢屢向女眞族要求一種名叫『海東青』的名鷹，把女眞族鬧得四季不得安寧。

遼天祚帝大概是體力旺盛，除了打獵，還要釣魚。天慶二年，天祚帝來到春州（吉林省長春市）在混同江釣魚。他一個人釣魚，沒有意思，還找了許多鄰人相陪。女眞酋長，凡在千里之內者，都得前來朝賀。

某一天，天祚帝釣得了頭魚，認爲是大吉大利，立刻下令：『開頭魚宴』，頭魚宴中熱鬧非凡。酒過三巡之後，天祚帝忽然興起，他規定，每一位隨從官屬及女眞酋長依次起立歌舞，作爲餘興節目。

由於赴宴者多半都缺乏歌舞細胞，有的唱歌唱得荒腔走板，有的舞跳得慘不忍睹。天祚帝笑得前仰後合，樂不可支，過足了皇帝的癮。

最後，輪到女眞族的完顏阿骨打，他直挺挺地坐在位置上，眼睛注視著前方，一副神聖不可侵犯的模樣，冷冰冰地回答：『我不會舞。』

天祚帝一連請了三次，阿骨打依然端立直視，昂然不遵。天祚帝氣壞了，沒見過這般彆扭的人，好好的一場頭魚宴，天祚帝乘興而來，敗興而

歸。

混同江歸來以後，天祚帝餘怒未消，想起完顏阿骨打那種『說不肯，就不肯』的倔強模樣，心裏頭就像燒旺了一盆火。他對蕭奉先說：『阿骨打這般跋扈，我算是認識他了，可以派他去邊疆，找個機會，殺掉算啦！』

蕭奉先不同意，他低頭默想了半天，擡頭道：『這個不妥當吧，他是一個粗人，不知禮儀，在所難免，也沒有犯什麼重大過失。若是爲了不跳舞的理由殺掉他，恐怕傷了四夷歸化之心。』

『並且，就算阿骨打有什麼野心，蕞爾小國，又能有什麼作爲？』蕭奉先的一番分析，暫時平息了天祚帝一股怒氣。但是，同樣是滿肚不愉快的阿骨打，他可沒有這麼容易忘卻頭魚宴之恥。

完顏阿骨打是何許人呢？

這位後來成爲金太祖的完顏阿骨打，是完顏部部長劾里鉢第二個兒子，母親是拏懶氏。據說拏懶氏在懷孕時就發現這個胎兒很重。生下來以後，果然是一個特大的超級嬰兒。在阿骨打上頭，還有一個哥哥名叫烏雅束。

阿骨打幼年時代，與兒童們遊戲，就顯得特別沉穩莊重。十歲左右，他開始迷上弓矢，擅長騎射，曾經三發三中天空中的羣鳥。一箭射出去，可以拉開三百二十步之遙。衆人拍手叫好，阿骨打臉上沒有半點喜悅的表情，完全一派少年老成的模樣。

當阿骨打二十三歲之時，不但弓馬冠絕常人，而且有一個特點，無論迎戰任何敵人，從來不戴盔甲，族人都指指點點，誇爲英雄。

從此以後，不戴盔甲，肉身上陣，成爲阿骨打獨一無二的標幟。不但他本人以此自豪，族人也每每拿這件事向他族炫耀。

當阿骨打在討伐蕭海里之戰中，渤海留守特別送他一件相當名貴，用上好皮革製成的盔甲。阿骨打接過盔甲，左謝右謝，然後把盔甲小心收藏好，依然擱置不用。

阿骨打的叔叔盈哥好生奇怪，他把這個年輕矯健二十三歲的姪子找來問話：『你到底爲什麼不肯穿上盔甲，保護自己？總該有一個理由吧。』

『我堅持一貫原則，不用盔甲，何況，穿上渤海的甲冑作戰，就是贏了，也是因爲他人的甲冑而成功，算不得英雄。我要用自己的力量與敵人拚，不需要他人相助……。』

盈哥看到阿骨打豪氣干雲，神采飛揚的模樣，拍一拍他一束束練得很緊的肌肉，讚美道：『好，有種，當年你父親在世之時，曾經對我說過，將來阿骨打這個孩子，足以了卻契丹，看來確是如此！』

阿骨打不只是用兵如神，戰勝攻取，無敵當世，他對於籠絡人心，也有一套辦法。

阿骨打的叔叔盈哥死後，繼位者不是阿骨打，而是阿骨打的大哥烏雅束（阿骨打是次子）。

在烏雅束當政時期，阿骨打擔任都勃極烈，就是大貝勒。有一年，女眞族鬧災荒，五穀不登。事實上，女眞地狹產薄，人民生活本來就很困苦，因此，許多民衆被迫當了盜賊。

有人主張亂世用重典，用嚴刑峻法對付盜賊。阿骨打反對，他沉穩地分析道：『這些暴民並非心存不軌，有意爲亂，實在是生活太苦，被逼得打家劫舍。』

因此，阿骨打建議，採取寬簡政策，以釜底抽薪的辦法，豁免一切租稅，准許人民三年不納糧，反正此時民不聊生，硬榨也榨不出多少錢財。如此一來，遠近歸心，盜賊自息。

另一方面，遼天祚帝荒淫無道，國內叛亂時起。天祚帝解決問題採取的辦法是：恢復投崖礮擲、釘割臠殺的酷刑，甚且把犯人的心肝取出來，用以祭拜祖先。

遼與金兩相對照之下，阿骨打更燃起了復仇雪恥之信心，一場大戰馬上就要開始了。

閱讀心得

【第438篇】女眞興師問罪。

女眞族的完顏阿骨打，孔武有力，擅長騎射，遼朝天祚帝時常向女眞族索取名鷹海東青，引起女眞族上下不滿。再加上天祚帝在混同江釣魚，舉行頭魚宴之時，命令阿骨打跳舞助興，阿骨打昂然不屈，不肯接受這種侮辱，雙方都不痛快。

天祚帝的意思是要把阿骨打去之而後快，可是遼朝的蕭奉先反對，他認爲阿骨打只不過沒跳舞，怎能置之於死地？天祚帝暫且放過阿骨打一馬。

但是，阿骨打知道了這件事，決定先下手爲強，向天祚帝挑戰。

阿骨打決定先擴張勢力再說，他不聲不響地就併吞了鄰近部落趙三。趙三不甘心被滅，去找遼朝官衙評理。遼朝官衙數次傳令阿骨打與趙三對質，阿骨打根本不理。

有一次，遼官衙又傳阿骨打，阿骨打挑了幾個健壯的騎兵，直闖衙司。當面把趙三罵了一頓，揚長而去，從此不理會遼朝官員。

過了沒有多久，阿骨打的哥哥烏雅束去世，阿骨打繼任其職。

遼朝知道了，相當不悅，派遣使者來指責阿骨打：『你竟敢不先前來報喪，自己就繼承大位？』

阿骨打不甘示弱，立刻怒氣沖天頂了過去：『我有大喪，遼不遣使前來弔喪，反而以我喪爲罪，天下有這個道理嗎？』假如此時遼朝國勢興盛，阿骨打那敢講這種不要命的話，偏偏遼朝一天比一天衰弱，也只能睜一隻眼睛，閉一隻眼睛。

阿骨打看看遼朝悶聲不響，沒有動靜，益發看不起這隻紙老虎了。於是，阿骨打派使者赴遼朝，要求天祚帝交還遼朝庇護的女眞叛將阿疏。天祚帝當然不肯交還，阿骨打遂積極建城堡、練軍隊、修武器，準備一塊兒算個總帳。遼朝自然也發現了異常，派出使者向阿骨打問罪。

阿骨打永遠是趾高氣昂，有理不讓，他大聲的回答：『我，小國也，事奉大國可不敢怠慢，不敢廢禮，而大國非但無恩無德，反而包庇我國罪犯，這算什麼道理？如何能夠叫人心服！』

頓了一頓，阿骨打又堅毅地對使者表示：『今天遼朝如果還給我逃犯阿疏，那麼，我繼續朝貢。否則的話，我可不能自己把雙手綁起來，聽憑大國的處置。』

這種狠話一開口，當然非宣戰不可了。遼朝天祚帝聞訊後大怒，正在調兵遣將，阿骨打卻打人先下手，在遼天慶四年九月裏，調集甲兵兩千五百人，申告天地，誓師勵衆。

他威風八面，用充滿了感傷與憤怒的語調說：『我女眞世世代代事奉遼朝，恪遵職責，按期入貢。平定烏春、窩謀罕之亂，破蕭海里之衆，有功不賞，反而侵侮有加，又包庇犯人阿疏。我屢次請求，遼朝不肯交還，今日問罪遼朝，天地共同佑之！』

女眞人想起過去遼朝加諸其身種種侮辱，每年索取海東青、北珠之傲慢無理，怒由心中起，跟著不戴甲冑的阿骨打説幹就幹起來了。一羣人馬像發瘋似的衝向遼國邊境，見人就殺，逢人就砍。阿骨打自己最爲英勇，張弓搭箭，立刻把遼人主將耶律謝十射落馬下。遼人前去援救，阿骨打先一箭射穿救者，第二箭又把耶律謝十送上西天，口中還直嚷嚷：『今天，我們不把遼兵殺光不回去！』

部衆個個勇氣大增，奮力衝殺，遼兵兵敗如山倒，回頭就逃。女眞放馬猛追，這一戰攻下了寧州。女眞大獲全勝，快樂極了。

此時，國相撒改聽到消息，趕快派兒子到前線去。道賀之外，勸阿骨打稱帝，號召天下。

阿骨打一口就拒絕了，他說：『一戰而勝，馬上迫不及待當皇帝，這未免太淺薄了。』他的野心大得很，他要佔領許多地方。有了滅遼的計畫，然後再風風光光坐上天子的寶座。眼前，不能爲了一點小勝利樂昏了頭。

當阿骨打攻打寧州之時，荒唐的遼天祚帝正在野外射鹿。聽說這件事，沒有放在心上，只派一個小小海州刺史前往援救。結果救兵未至，城已攻陷，遼朝防禦使大藥師奴被擒。

大藥師奴被五花大綁來到阿骨打營帳之中，心忖這回是難逃一死。

不料，阿骨打上上下下打量了大藥師奴一番，然後輕輕鬆鬆一揮手道：『放了他吧！』

大藥師奴簡直不相信自己的耳朵，女眞將領也狐疑地望著阿骨打。

直到阿骨打一句：『還不滾？』大藥師奴千恩萬謝，拔腿就逃。

阿骨打之所以不殺大藥師奴，固然表示女眞之威德，更重要的是他把大藥師奴放了，等於給女眞發個活廣告，讓他到處宣傳女眞用兵有多麼威猛，阿骨打又是多麼寬厚。在大藥師奴大嘴巴一遍又一遍，加油添醋的廣告之下，遼朝人漸漸認識女眞已非吳下阿蒙了。

閱讀心得

【第439篇】金太祖設國宴。

遼朝屢次欺負騷擾女眞，女眞忍無可忍，在完顏阿骨打的率領之下，一戰攻下了寧州。阿骨打爲了表示女眞的威德，故意放走了寧州防禦使大藥師奴。

大藥師奴親眼目睹了寧州城陷的慘烈，又感激阿骨打不殺之德。因此，鼓起如簧之舌，見人就說，逢人就誇女眞是如何如何英勇。

事實上，女眞初起之時，的的確確讓人佩服。用兵如神，戰勝攻取，無敵當世，不到十年之間，闖出相當的局面。女眞族民族性強悍，風氣樸實，祖父說一句話，子孫終身奉之，不敢有所違抗；子弟子姪之間感情深厚，從來不會因爲傳位引起爭端。

同時，女眞環境惡劣，土地狹小，物產澆薄，人民即使努力耕田，還是收成不佳，清貧如故，倒還不如去打一場仗，可以獲得不少的戰利品。因此一個個能征善戰，吃苦耐勞。雖然部隊武器落伍，戰鬥力量卻不容忽視。

遼朝天祚帝聽說女眞攻下寧州，特命蕭嗣先爲東北路都統，開始進行反攻。

阿骨打接到消息，立刻召集羣衆，向混同江開拔。想當初，天祚帝在

混同江釣魚，舉行頭魚宴，命令阿骨打起立歌舞，阿骨打不甘受辱，拒絕起舞。往事歷歷，新仇舊恨，一剎那間，同時湧上阿骨打的心頭。他握緊拳頭，一遍又一遍的發誓：『我非把遼朝打敗不可！』

某日夜晚，阿骨打昏昏睡去，忽然在矇矓之間，有人把他的頭從枕頭上扶了起來。他搖搖腦袋，躺了回去，又覺得有人把他的頭，緩緩自床上擡起。如此這般，一連三回都是如此。

阿骨打睡意全消，他揉揉惺忪的雙眼，一躍而起，自言自語道：『這一定是神明警戒我，告訴我這是進攻的大好良機。』

他風也似的跑到營帳外面，大聲擊鼓，號召羣眾。然後每人分配一支火把，浩浩蕩蕩往混同江衝過去。

此時正逢十一月，寒風凜冽，混同江上早已結了一層厚厚的冰，女眞兵隊踏著冰雪登岸。忽然之間，遠遠吹來一陣一陣的強風，塵埃蔽天，風颳得人的眼睛都睜不開了，而且益發顯得冰涼刺骨，凍得很不好受。

遼朝的士兵，現在已經沒有當年遼太祖或楊家將中蕭太后的神勇，完全擋不住女眞的攻勢，節節敗退。阿骨打一路猛追，乘勝奮擊。

遼兵大敗，將士多死，剩下的殘兵敗將只有到處劫掠。遼朝方面主帥是蕭嗣先，蕭嗣先的哥哥乃遼朝樞密使蕭奉先（起先天祚帝準備殺阿骨打，以除後患，就是蕭奉先反對的）。

蕭嗣先吃了大敗仗，理該受罰，做哥哥的蕭奉先不忍心，趕快上了一個奏章給天祚帝。大意是說，這批東征的敗軍，作風蠻悍，假如朝廷不赦免他們兵敗之罪，恐怕會釀成更大的禍事。

遼天祚帝正在焦頭爛額，不願意多找麻煩，立刻爽快地答應了蕭奉先的請求。

蕭奉先固然很得意救了弟弟一命，卻害了國家，因爲既然蕭嗣先所率領的東征軍一概無罪，遼軍更加喪失鬥志。既然賞罰不公平，有功不賞，有罪不罰，遼軍彼此就在打趣：『現在好了，向前打，有死無功；退呢，倒有生無罪。我們幹什麼白白去送死，莫非活得不耐煩了？』從此以後，遼朝全無鬥志，兵無戰心。一遇上女眞兵，轉身就逃，溜得飛快。

在這種情況之下，阿骨打所向無敵，一路猛打，最後打入遼將蕭敵里營中，大有斬獲。遼朝士兵常常有一句話掛在口邊：『女眞兵，不過萬，一過萬，打不散。』這句話的意思是說，可不能讓女眞兵超過一萬人，要是超過了一萬人，那可就危險了。

如今，女眞兵果眞超過了一萬人，成爲顚撲不破的無敵鐵軍。女眞兵無論到了那兒，那兒的遼兵沒有不望風潰散的，遼的賓、祥、咸三州前後都投降了女眞。

在這個時候，阿骨打既然已屢次打勝遼軍，所佔領的地方也日漸擴大。他的弟弟吳乞買屢次建議他稱帝，阿骨打不肯，阿骨打下面的將領浦家奴、粘罕也不斷進言，阿骨打還是猶豫不決。此時，遼東鐵州渤海大族少年進士楊朴亦來降，勸阿骨打正式稱帝。

野心勃勃的完顏阿骨打終於稱帝了。他認為『女真』兩個字不夠莊重，並且說：『遼，是賓鐵的意思，遼王當年取國號為遼，取賓鐵質堅，殊不知鐵會銹損，只有金不變不壞，因此，我命國號為金。』於是建立了金國，阿骨打即皇帝位，是為金太祖。

金太祖充滿了雄心壯志。他常在積雪之中，鋪上虎皮，背風而坐，威風凜凜。當他邀請酋長們共食時，只在炕上用矮檯子或木盤相接，每人分一碗粗飯，用木碟裝上豬、羊、馬、雁等肉，各自用佩刀切肉取食。他曾對宋朝使者說：『我家自上祖相傳，只有如此風俗，不會奢華裝飾。』這就算是金朝的國宴。

他看一看帳篷又指著說：『我們只有這種房子，冬暖夏涼，又不必修宮殿，勞費百姓，你們不要見笑。』帳篷外面，許多金兵搶到遼朝美女，擄到遼朝樂工，正在玩狎悅樂。金太祖卻絲毫不爲所動，一心一意想謀取天下。

閱讀心得

【第440篇】方臘之亂。

前面，我們陸陸續續介紹了遼與金的概況，現在再轉回到宋朝內部。在〈萬歲山落成〉篇中，曾經說到，蔡京爲了迎合風雅的宋徽宗，任用朱勔，專門爲皇帝在東南一帶採辦花石，並且特別設立了一個機構——蘇杭造作局總管其事。

所謂的花石，可說是無所不包，大到要用一千名以上船夫才能搬動的太湖石，小到玲瓏可愛、衣袖之中可以藏幾百個的小采石，以及各種奇花異樹。

爲了籌辦花石，特地在蘇杭成立了奉應局，蒐集各種花石。其實，不僅花石，舉凡新鮮古怪的玩意，都是蘇杭奉應局強徵打劫的對象，而且態度蠻橫、粗魯，動不動派你一個大逆不敬的罪名。

許許多多老百姓因爲花石綱被整得家破人亡。宋徽宗還沾沾自喜，認爲自己是個藝術家皇帝，專挑人家不要的花石賞玩；卻未曾想到，百姓家中若有一石一木被視爲珍貴，經常破屋拆牆以取之，簡直可憐極了。

在『花石綱』勞民傷財的暴虐下，終於爆發了歷史上著名的方臘之亂。

方臘是睦州青溪人（在今浙江省境內），世世代代居住在此，過著平靜而幸福的生活。

方家很有錢，在山谷幽深之處，擁有一大片漆樹、杉材，生產上好的木材，富商巨賈多與之往來，在地方上也稱得上是有頭有臉的人物。當奸臣蔡京被貶杭州之時，朱勔的父親朱沖曾經一口氣募捐到數千條上好大木條，爲蔡京蓋了一座僧寺閣。因此，當蔡京交結宦官童貫，狼狽爲奸以後，少不得提拔朱沖朱勔父子。

朱勔又不賣木材，那裏來這許多價值連城的好木材？當然，方臘家中就遭了殃，不但參天古木一根一根被拔起、拖走，不留一文錢。而且蘇杭造作局那批官員，狐假虎威的嘴臉，眞會讓人氣得牙齒打戰，全身發抖。

有一天，方臘一個人孤零零坐在光禿禿的漆園中，實在難以平抑心中不斷燃燒的怒火。想起方才那些官吏的嘴臉，恨得牙癢癢，恨不得踢他們一腳。雖然勉勉強強的忍耐下來，可是，忍了這一回，還有下一回、再下一回……永遠沒完沒了，方臘抱著頭，痛苦萬分。

『算了，乾脆和他們拚了！』反正漆園被貼上黃表之後，早已歸皇帝所有，萬一保管不周，出了些微差池，也保不住這條命。豁出去一幹，也許還能自闖天下。

方臘的想法，正合乎江浙一帶，屢次爲花石綱所擾的百姓的想法。因此他登高一呼，立刻有許多不堪爲公家勒索的以及流亡怨嗟的民衆響應。

宋徽宗宣和二年，方臘以申討朱勔爲名，起兵作亂，自稱承天應命，號爲聖公。建元永樂，置將帥、委百官。在開始起兵之初，連弓矢甲冑都沒有，只能用不同顏色的頭巾爲區別，一共有六種顏色，人數也不多。但是沒有過幾天，遠近響應，一會兒，竟然聚集數萬人之多。

由於方臘本身欠缺實力；他腦筋一轉，動到利用迷信上面。原來浙江民風閉塞，從唐朝開始，信奉摩尼教，又受道教的影響很深，百姓十分迷信。方臘就以鬼神咒語煽惑，大兵所到之處，焚燒房舍，裹脅良民爲兵。由於宋朝承平日久，百姓早已忘記戰爭是怎麼一回事，一聽到軍隊開拔而來，驚天動地的金鼓之聲，打也不打，立刻舉起雙手投降。方臘一口氣破了青溪、睦州，又北掠新城、桐廬、富陽等縣，最後攻下了杭州。城陷之時，大火足足猛燒了六天六夜。

宣和二年十二月，方臘攻陷休寧縣之時，活捉了知縣事麴嗣復。勸麴嗣復投降，麴不肯，破口大罵：『賊人，無恥。』

說來也奇怪，方臘手下這批烏合之衆，乖乖的聽麴嗣復教訓，也不怒，也不惱。

麴嗣復直罵得臉紅脖子粗，額上青筋暴起，看看賊人毫無動靜，氣得說：『你爲何不趕快殺我！』

賊人竟回答道：『我自己也是休寧人，麴公對縣裏極有貢獻，且有善政，公前任的官員，沒有一個比得上您的，我怎麼忍心殺害您呢？』

於是，這個貌似兇惡的賊人，把麴嗣復鬆了綁，放他走了。可見得，一位好的父母官，人民心中是多麼感恩的。

方臘的兵攻入杭州之時，太守趙霆聽到消息，拔腿就溜，方臘部隊順利入據城內。由於這一批亡命之徒受夠了貪官污吏的氣，抓住官員之後，先割斷他們的手脚，然後用尖刀挑出肺腸、心肝五臟，熬成膏油，或者把人五花大綁綑在樹上，用亂箭射死，以洩心頭之恨。

方臘鬧得天下大亂，京裏卻渾然不知。原來此時蔡京退休，王黼這個小白臉擔任宰相。王黼剛剛上任時，爲了收買人心，曾經勵精圖治一段時間，四方譽之爲賢相。過了沒多久，開始進行賣官的勾當。各地的官吏，爲了前途著想，紛紛獻上各種珍異之物（王黼的故事，請參考〈王黼家中的白米〉篇）。

王黼與其妻妾，天天在家忙著拆禮物，眉開眼笑，不亦樂乎。因此他雖然知道方臘鬧翻了天，總不願意報告宋徽宗，免得丟了官。所以嘛，宋徽宗這個風流皇帝依舊在延福宮之中，挽著貌美如花的妃嬪，飲酒作樂，逍遙快活。

閱讀心得

【第441篇】韓世忠活捉方臘。

宋徽宗愛好藝術，朱勔等人爲了迎合皇上心意，在東南一帶採辦花石，勞民傷財。漆園主人方臘忍無可忍，利用迷信，釀成大亂。然而宰相王黼，爲著本身官位著想，竟然不願意轉奏皇上。自命風流的宋徽宗，依然在延福宮中，挽著美貌的妃嬪，飲酒作樂，不亦快哉！

這時，東南一帶，在方臘的大兵之下，歸附者一天比一天多。史書記載是：『兇焰日熾，東南大震。』宣和二年十二月，淮南發運使陳遘，看到星星之火已經燎原，上了一個緊急奏章給皇帝，上疏中言：『賊衆強，官軍弱，乞求調派京畿兵隊以及鼎、澧一帶槍手兼程趕來，以免戰禍滋長蔓延。』

糊塗的宋徽宗這下子才著了慌，派遣宦官童貫爲江淮荊浙宣撫使、譚稹爲兩浙置制使，率領十五萬大軍，浩浩蕩蕩前去討伐方臘。

宋徽宗大概心裏有數，花石綱是鬧得過分了。因此，童貫出發之前，宋徽宗特別對他說：『萬一遇到急事，你就用御筆代行之。』

當童貫到達東南，親眼目睹民衆對花石綱的反應，也明白這是造成方臘之亂愈來愈盛的主因。立刻命令幕僚董耘寫了一篇皇上的手詔，責備自己昏庸。在中國古代，天子高高在上，人民又敬又畏又愛，現在看到徽宗

自責，民衆不免心軟。

同時，童貫又用御筆，下了一道命令：停止蘇杭造作局及一切花石綱，罷黜朱勔父子弟姪一切在位者。東南人民大悅，加上方臘軍隊手段殘忍毒辣，民衆心理趨向宋朝，淪陷的城邑相繼光復。

此時，方臘身邊還剩下十多萬人，躲藏在青溪岩洞之中。山谷幽險，適合藏身，官兵對之興嘆，莫可奈何。

最後打開僵局者，不是別人，正是大家所熟悉，與岳飛齊名的抗金名將韓世忠。韓世忠是少年英傑，風骨偉岸，目光如電，能騎野馬。宣和三年時，正在王淵麾下當偏將，聽說官兵對方臘一籌莫展，自己要求深入敵方。

韓世忠有勇有謀，他用潛行法偷偷進入山谷。採取威脅利誘、雙管齊下的辦法，逼著一位當地的老婆婆帶路，進入方臘柵寨核心，摸清地形。韓世忠拿著武器，一馬當先，歷經了許多危險，殺了數十人，把方臘自洞中活捉而出，他的長官王淵嘆息道：『眞萬人敵也。』

方臘被生擒以後，賊羣潰散，山洞中陸續逃出許多被抓走的婦女。她們都赤身裸體，一面跑，一面哭，最後一塊在樹林間上吊。前前後後一百里的樹上，都掛滿自縊的婦女，悽慘到了極點。宋朝婦女，受了道學的影響，餓死事小，失節事大。受到盜賊如此羞辱，當然別無他法，只有一死了之。可見國家有難，老百姓最先遭殃。

方臘之亂，雖然半年多就平定了，但是數月之間，連破六州五十二縣，殺死不少百姓，國家元氣大傷。

在方臘的軍隊初破錢塘之時，大宴賓客。赫然發現其中有幾十個客人，每人都在腰間掛著黃澄澄的金腰帶，閃爍發光，走到那兒，亮到那兒。

方臘一打聽之下，這些繫金帶者，不是什麼了不起的大人物，只不過是朱勔府上的家奴。連家奴走出去，都是這般的耀眼，朱勔搜刮了多少財物，也就可想而知了。

所以當地人流行一句歌謠：『金腰帶、銀腰帶，趙家世界朱家壞。』

（按宋朝皇帝姓趙，朱勔姓朱。）

御史中丞陳過庭曾經上書宋徽宗：『致寇者蔡京，養寇者王黼，把這二人貶竄，則賊自平。』至於朱勔，陳過庭更毫不留情的指責：『朱勔父子，本刑餘小人，結交權近，竊取名器，罪惡盈積，宜斬首，以謝天下。』

陳過庭罵得痛快，這話聽到一般人民耳中，當然大快人心，但是傳到蔡京、王黼、朱勔耳中，卻不是滋味。結果，倒楣的當然是忠言直諫的陳過庭，他不但立刻被摘下烏紗帽，而且被貶蘄州。

至於那位荒唐皇帝宋徽宗，他可沒有半絲後悔之意。

想當初，方臘之亂能夠平定，原因之一就是徽宗告訴童貫『如有急，即以御筆行之。』童貫找了董耘寫了一篇辭文並茂的文章，代替皇帝自責昏庸，情勢方得以好轉。

按理，方臘鬧得天翻地覆之後，徽宗首先應該問罪宰相。責備他爲什麼不早日把方臘之亂報上來，以至於到後來，搞得不可收拾。

沒想到，王黼反而咬了童貫一口，他對徽宗說：『方臘之起，乃由於茶鹽法也，童貫誤信奸言，反而把過錯推給陛下。』徽宗大怒，尤其見到董耘寫的手詔，大大不以爲然，他可不認爲自己有什麼不對。於是恢復造作局，重新採集花石，朱勔及梁師成等小人再度起用。

童貫曾親眼看到花石綱爲禍之烈，當他知道造作局再起，忍不住對徽宗嘆一口氣道：『東南人家飯鍋子尚未穩住，怎麼又恢復了造作局？』

徽宗聽了，眉頭又皺了起來。昏君誤國也。宋徽宗也是讀過歷史的人，可惜不能記取歷史的教訓。

閱讀心得

【第442篇】

正史中的宋江。

方臘之亂在中國歷史上名氣不小，除了因為這場亂事暴露了宋徽宗一朝的腐敗，加速北宋的衰亡之外；更重要的是，宋江是否曾經參與討伐方臘，是歷史上爭論不已，大家都有興趣的事。

提起宋江，以及他那一批被逼上梁山的英雄好漢，凡是中國人都為之精神一振。不論是武松、李逵、燕青、魯智深，大家都熟悉得不能再熟悉，簡直像人們身邊的老朋友。不但民間把水滸傳當成史實，一般高級知識份子也深受其影響，它的流傳程度，甚至超過三國演義。

那麼，宋朝到底有沒有宋江這號英雄人物呢？答案是有的。宋史徽宗本紀、侯蒙傳、張叔夜傳、東都事略都有提及宋江。另外林泉野記、中興姓氏奸邪錄、續資治通鑑等書，也很簡略提到宋江投降以後，曾經跟隨童貫出征方臘，不過都只有寥寥數字。

宋江這個大名鼎鼎的草莽英雄，竟然在宋史之中沒有單獨的傳記。記載他生平最爲詳盡的資料，只有在宋史紀事本末之中，附在方臘之亂後面的一篇特寫，前前後後加起來只有一百七十六個字，全文如下：

『宣和三年二月，淮南盜宋江寇京東州郡，至海州，張叔夜敗之，江乃降。宋江起爲盜，以三十六人橫行河朔，轉掠十郡，官軍莫敢攖其鋒。

知亳州侯蒙上書，言江才必有過人者，不若赦之，使討方臘自贖。帝命蒙知東平府，未赴而卒。又命張叔夜知海州，江將至海州，叔夜使間者覘所向。江逕趨海濱，劫巨舟十餘，載鹵獲，叔夜募死士得千人，設伏近城，而出輕兵距海，誘之戰。先匿壯卒海旁，伺兵合，舉火焚其舟。賊聞之，皆無鬥志，伏兵乘之，擒其副賊，江乃降。』

這麼短短幾行字的大意是這樣的：在宣和三年二月，淮南大盜宋江騷擾京師開封東方的州郡，到了海州，海州的知州張叔夜打敗宋江。

宋江初起爲強盜，率領了三十六個人，橫行河朔（今山東河北之間），輾轉劫掠十個州郡。宋朝的官兵都嚇壞了，不敢與他交鋒。

這時，亳州的知州侯蒙上書給宋徽宗，認爲宋江必有過人之處，不如赦免宋江，派他去討伐方臘，將功贖罪。宋徽宗認爲這個建議不壞，便命侯蒙去做東平府的知府，招安宋江。招安指的是招盜賊，加以編組，使他們得以安頓，不再作亂。侯蒙尚未到達任所就死了，宋徽宗另派張叔夜做海州的知州，繼續負責招安宋江。

宋江到了海州，張叔夜先派出間諜，偷偷觀察宋江一行人的動向。發現宋江前往海邊，搶了十多艘大船，船上載滿了擄獲的金銀財寶。

張叔夜先召募了一千多名敢死隊，埋伏在城旁險要之地。再派出少許裝備輕捷的士兵到海邊，誘宋江開戰。另派身強力壯的士兵埋伏在海邊，一見雙方打起來了，埋伏在海邊的士兵立刻放火燒掉宋江的十餘艘巨舟。宋江的部下聽說船燒了，心一涼，皆無鬥志。這時，埋伏的敢死隊一擁而上，活捉了副首領，宋江只得束手就擒了。

這短短一百七十六個字描寫的宋江，太不精采，也太讓人失望了。而且梁山泊上一百零八條剽悍勇猛的綠林好漢，一個字也沒有提到，與人們心目中的距離未免相差太遠了。

雖然，宋江在正史中的資料太過於簡略，畢竟我們可以確定，的的確確有這個人。而且，遠在宋江等人還活著的時候，這段故事已經成爲民間膾炙人口的傳說。

到了南宋時代，中原淪陷在異族手中（這段故事我們馬上會提到），當時人想望英雄，希望有濟弱鋤強、劫富濟貧的草澤英雄出來拯救人民，便逐漸演變出水滸傳的故事。把宋江和他的弟兄們描繪得出神入化，比正史上記載的眞人眞事有趣得多。

也許宋江旗下這批英雄眞的是性格突出，面目奇特，不同於凡人，所以南宋畫家高如、李嵩等可以很容易地爲他們作畫。龔聖與在畫完三十六位好漢之後，並且附加一筆：『我小的時候就崇拜這些人，所以爲他們作畫。』

到了元朝，出現了許多水滸傳故事的雜劇，以寫黑旋風的故事最多。劇中人物性格與小說不同，但是梁山泊好漢已由三十六個人增加到一百零八個人了。

到了元末明初，施耐庵根據南宋以來，在民間大量流傳的有聲有色的小說、話本、戲劇，加以組織和渲染而成爲一部一百二十回的長篇小說《水滸傳》。

在《水滸傳》一書中，不但把宋江這個人寫得活靈活現，而且雕塑出武松、魯智深等具有鮮明不同性格的人物。這些人物的遭遇個個不同，故事曲折動人，而且施耐庵對人物的性格和動作描寫得十分生動，使那些人物就像活在讀者的身旁，讓讀者不自覺和水滸傳人物產生共鳴。所以水滸傳可以說是中國歷史上最成功、最深入人心的小說。

我們前面講了許多宋徽宗、童貫、蔡京的故事，這些人都是水滸傳中的要角，知道史實，再讀水滸，更能體會深刻。不過，水滸傳的時代背景，固然是宋朝，其實放在中國歷史上任何一個時代，尤其是昏庸君王當政的時代，都是差不多的。水滸傳中被逼上梁山的英雄所遭遇的苦難與無奈，正是民衆自身常常感受得到的，因此讀來倍感親切。不論蔡京之類的貪官，蔣門神之類的惡棍，甚至謀害親夫的潘金蓮，都有如鄰家發生的事般的熟悉。這正是爲什麼水滸傳會長期而廣泛地受中國人歡迎的原因。

閱讀心得

閱讀心得

閱讀心得

歷代・西元對照表

朝　　代	起迄時間
五帝	西元前2698年～西元前2184年
夏	西元前2183年～西元前1752年
商	西元前1751年～西元前1123年
西周	西元前1122年～西元前 771年
春秋戰國(東周)	西元前 770年～西元前 222年
秦	西元前 221年～西元前 207年
西漢	西元前 206年～西元 8年
新	西元 9年～西元 24年
東漢	西元 25年～西元 219年
魏(三國)	西元 220年～西元 264元
晉	西元 265年～西元 419年
南北朝	西元 420年～西元 588年
隋	西元 589年～西元 617年
唐	西元 618年～西元 906年
五代	西元 907年～西元 959年
北宋	西元 960年～西元 1126年
南宋	西元 1127年～西元 1276年
元	西元 1277年～西元 1367年
明	西元 1368年～西元 1643年
清	西元 1644年～西元 1911年
中華民國	西元 1912年

國家圖書館出版品預行編目資料

全新吳姐姐講歷史故事. 19. 北宋/吳涵碧 著.
--初版.--臺北市；皇冠，1995〔民84〕
面；公分（皇冠叢書；第2485種）
ISBN 978-957-33-1229-1（平裝）
1. 中國歷史

610.9 84006926

皇冠叢書第2485種
第十九集【北宋】

全新吳姐姐講歷史故事〔注音本〕

作　　者—吳涵碧
繪　　圖—劉建志
發 行 人—平雲
出版發行—皇冠文化出版有限公司
台北市敦化北路120巷50號
電話◎02-27168888
郵撥帳號◎15261516號
皇冠出版社(香港)有限公司
香港銅鑼灣道180號百樂商業中心
19字樓1903室
電話◎2529-1778　傳真◎2527-0904
印　　務—林佳燕
校　　對—皇冠校對組
著作完成日期—1992年01月01日
香港發行日期—1995年09月25日
初版一刷日期—1995年10月01日
初版二十九刷日期—2021年05月
法律顧問—王惠光律師
有著作權・翻印必究
如有破損或裝訂錯誤，請寄回本社更換
讀者服務傳真專線◎02-27150507
電腦編號◎350019
ISBN◎978-957-33-1229-1
Printed in Taiwan
本書定價◎新台幣150元/港幣45元

• 皇冠讀樂網：www.crown.com.tw
• 皇冠Facebook：www.facebook.com/crownbook
• 皇冠Instagram：www.instagram.com/crownbook1954/
• 小王子的編輯夢：crownbook.pixnet.net/blog